GUARDIANS OF GA' HOOLE

猫头鹰王国

暗算

By Kathryn Lasky

[美]凯瑟琳·拉丝基　著

马爱农　译

湖北长江出版集团　湖北少年儿童出版社
HUBEI CHILDREN'S PRESS

★边缘之地
★幽灵森林
★银纱森林
★南方王国
★
安巴拉森林王国
★圣灵枭孤儿院大峡谷
★圣灵枭孤儿院

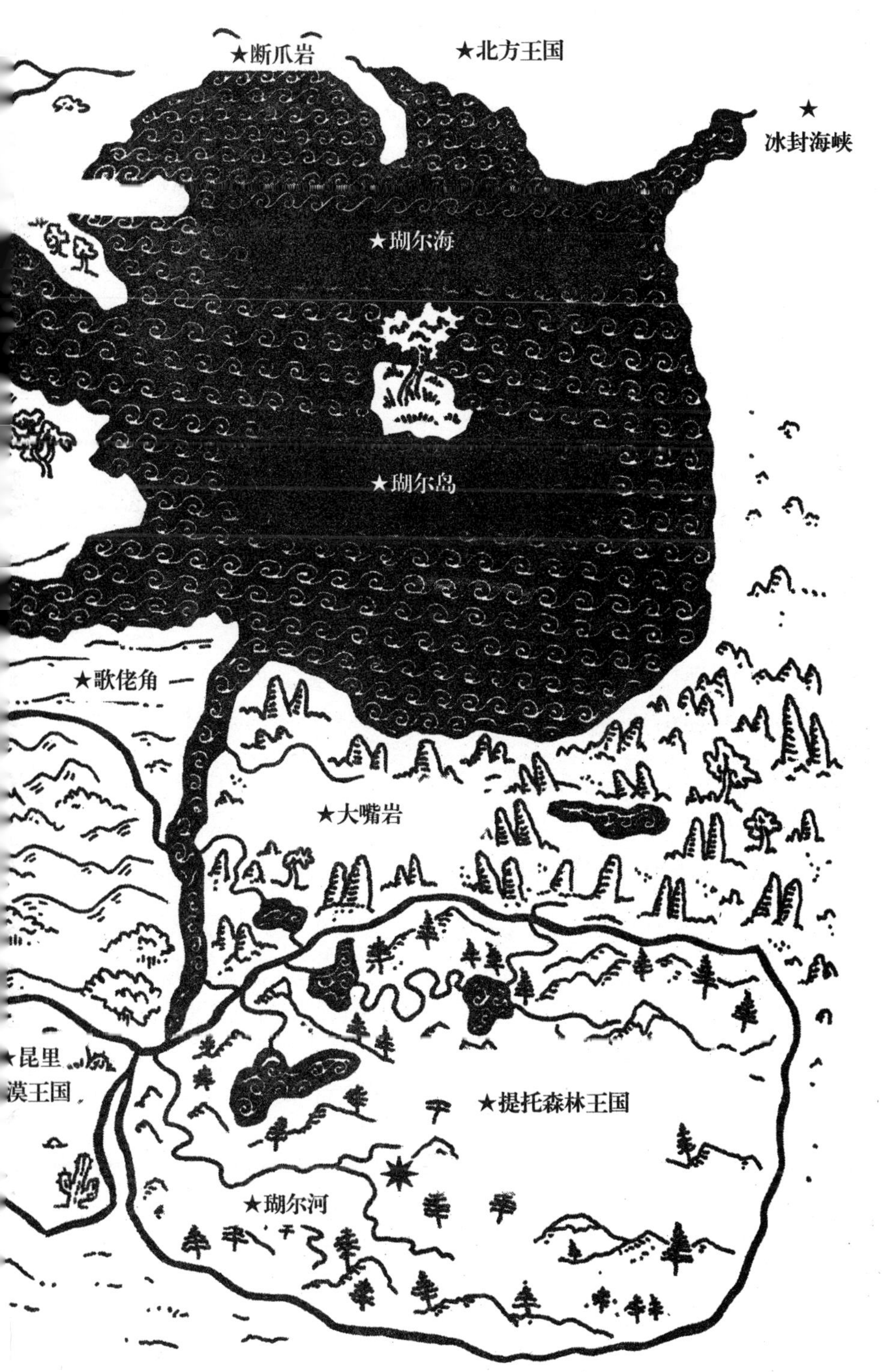
★断爪岩
★北方王国
★
冰封海峡
★瑚尔海
★瑚尔岛
★歌佬角
★大嘴岩
★昆里
漠王国
★提托森林王国
★瑚尔河

目录

引子

世界在旋转，在夜空的衬托下，老枞树的针叶变得一片模糊，接着，森林的地面扑面而来，使他感到一阵强烈的恶心。赛林拼命扇动着他光秃秃的小翅膀。没有用！他想，我死定了。一只死了的小猫头鹰。刚从蛋里孵出来三个星期，生命就结束了！

突然，什么东西减缓了他坠落的速度——是一阵风？是一股柔和的气流？是一缕软茸茸的空气拂过他身上一簇簇难看的绒毛？是什么呢？时间慢下了脚步。他短短的一生在眼前闪过——从最初记忆的每一分每一秒……

1 记忆中的窝

“诺图，亲爱的，你能不能再拔点绒羽给我？我们的第三个小宝宝好像就要来了。那个蛋快要裂开了。”

“别再来了！”昆郎唉声叹气地说。

“你这是什么意思，昆郎，‘别再来了’？你不想再要一个小弟弟吗？”爸爸说，语气里透着怒气。

“说不定是妹妹呢。”妈妈叹口气，发出谷仓猫头鹰经常使用的轻柔的哨音。

“我愿意要个妹妹。”赛林插嘴道。

“你两个星期前刚孵出来，”昆郎转向弟弟赛林，“你知道什么是妹妹？”

也许知道，赛林暗自想道，妹妹肯定比哥哥好。自从他孵出来的那一刻起，昆郎似乎就恨上了他。

“我刚要开始‘跳枝’，真不愿意他们这个时候来。”昆郎闷闷不乐地说。严格地说，跳枝是飞行的第一步。幼年的猫头鹰练习从一个枝头跳到另一个枝头，并练习扑扇翅膀。

“好了，好了，昆郎！”爸爸劝道，“耐心一点嘛。跳枝的时间有的是。别忘了，你的拨风羽还要至少一个月才能长出来呢。”

赛林刚想问一个月是什么意思，突然听见“咔嗒”一声。猫头鹰一家似乎都怔住了。对于森林里的其他动物来说，这声音也许不容易察觉。可是谷仓猫头鹰天生具有超常敏锐的听觉。

“来了！”赛林的妈妈兴奋得喘不过气来，“我太激动了。”她又叹了口气，如痴如醉地看着那只纯白色的蛋前后摇晃。蛋壳上出现了一个小洞，里面伸出一根小小的尖刺。

“天哪，是它的卵齿！”赛林的爸爸惊叹道。

“我的卵齿比这个大，是不是，爸？”昆郎为了看得更清楚，把赛林推到一边，赛林悄悄溜到了爸爸的翅膀底下。

“哦，儿子，我可不知道。可是这个小尖尖多么漂亮、多么亮晶晶啊。每次都让我激动得要命。这么一个小不点儿啄啊啄的，进入到这个广阔的世界里。啊！保佑我的砂囊吧，这真是一个奇迹。”

看上去确实是个奇迹。赛林注视着那个洞开始出现两三道裂纹。蛋微微颤动着，裂纹越来越长，越来越宽。而就在两个星期前，他自己也是这么做的。真是惊心动魄啊！

“妈妈，我的卵齿后来怎么样了？”

“掉了呗，傻瓜。”昆郎说。

“哦。”赛林轻声说。爸爸妈妈完全被孵蛋的过程吸引住了，没有责骂昆郎说了粗话。

“皮太太呢？皮太太呢？”妈妈急切地问。

“在这儿呢，夫人。”年迈的盲蛇皮圈太太慢慢地爬进洞里，她已经陪伴这个猫头鹰家庭许多个年头了。盲蛇天生就没有眼睛，许多猫头鹰都把她们作为保姆养在窝里，负责把窝里打扫干净，清除蛆虫和各种钻进洞里的昆虫。

“皮太太，诺图把新拔的绒羽放在了那个角落里，可不能让它们沾上蛆虫和臭虫。”

“您放心吧，夫人。我已经服侍您孵出多少只小宝贝啦？”

“哦，对不起，皮太太。我怎么可能对你不放心呢？我每次孵蛋总是精神紧张。每次都像第一次一样，怎么也没法儿习以为常。”

“您不用道歉，夫人。您以为别的鸟也会关心自己的窝是不是干净吗？我听说过海鸥的故事，简直可怕！哦，我的天哪！唉，我谈都不愿意谈。”

盲蛇替猫头鹰干活感到很自豪，她们认为猫头鹰是鸟类中最高贵的。盲蛇十分注重细节，很瞧不起其他鸟类，认为他们由于消化系统先天不足，导致了只能排泄湿乎乎的软便，而不是干干净净的粪团——也就是猫头鹰拉的或吐的那种小食团儿。虽然猫头鹰能够像其他鸟类一样消化食物中较软的部分，并以液体形式排泄，但不知为什么，他们却没有这种次要消化过程。如果猎物——比如说老鼠——的皮毛、骨头和小牙齿按普通的办法无法消化，就会被挤压成一个个小食团儿，形状和大小跟猫头鹰的砂囊一样。吃过东西几个小时之后，猫头鹰便会把它们吐出来。许多当保姆的蛇都管其他鸟类叫“稀屎鸟儿”。当然啦，皮圈太太很有教养，是不会使用这种粗俗的语言的。

“妈妈！”赛林惊讶地说，“快看那个。”整个窝里似乎都突然回响着咔咔的开裂声，同样，也只有谷仓猫头鹰的耳朵才会觉得这声音震耳欲聋。现在蛋裂开了。一团白色的、黏乎乎的东西钻了出来。

“是个丫头！”妈妈喉咙里发出一声拖长的“嘘”音。这是一种表达极度喜悦的“嘘”音。“多么可爱！”赛林的妈妈叹着气说。

“太迷人了！”赛林的爸爸说。

昆郎打了个哈欠，赛林目瞪口呆地望着那个光溜溜的小东西，她的两只鼓鼓的大眼睛紧紧地闭着。

“妈妈，她的脑袋怎么啦？”赛林问。

“没什么，亲爱的。刚孵出来的小鸟儿脑袋都特别大。他们的身体要过一阵才能赶上来。”

“更不用说他们的脑子了。”昆郎嘟囔道。

“所以他们的脑袋还不能完全直起来，”妈妈说，“你当时也是这样的。”

“我们管这个小可爱叫什么呢？”赛林的爸爸问。

“伊兰，”赛林的妈妈立刻回答道，“我一直想要一个叫伊兰的小姑娘。”

“哦！妈妈，我喜欢这个名字。”赛林说。他轻轻地念着这个名字。然后他凑向那个一动一动的小白球儿。“伊兰。”他轻声叫道，他仿佛看见一只紧闭的眼睛睁开了一道缝，一个细细的嗓音好像说了声“嗨”。赛林立刻就爱上了他的小妹妹。

就在刚才，伊兰还是个湿漉漉的、瑟瑟发抖的小球儿，几分钟后，她似乎就变成了一个绒绒的小白绒球。她迅速地强壮起来，至少在赛林看来是这样。爸爸妈妈告诉他，他最初的时候也是这样。那天晚上就举行了伊兰的“初虫仪式”。伊兰已经完全睁开了眼睛，饿得扯着嗓子大叫。伊兰简直支撑不到爸爸“欢迎来到提托”的讲话结束。

“小伊兰，欢迎来到提托森林，谷仓猫头鹰的森林，我们的官名叫‘提托奥巴’。很久很久以前，我们确实生活在谷仓里。可是现在，我们和其他提托近亲生活在这个名为提托的森林王国里。我们是非常稀罕的物种，而且恐怕是所有猫头鹰王国里最小的。不过，说句实话，我们已经很长时间没有一个国王了。将来等你们长大了，进入生命的第二个年头时，你们也会飞出这个树洞，找到自己的树洞，跟你们的伴侣一起生活。”

讲话的这一部分让赛林惊讶和不安。他无法想象长大成熟、拥有一个自己的窝。他怎么可能跟爸爸妈妈分开呢？然而，他体内确实有这种飞的冲动，尽管光秃秃的小翅膀上连一点像样的拨风羽的痕迹都没有。“现在，”赛林的爸爸继续说道，“是你的初虫仪式。”他转向赛林的妈妈，“玛莱拉，我亲

爱的，劳驾你把那个蟋蟀拿上来。”

赛林的妈妈走上前。她嘴里叼着一只夏天最后的蟋蟀。“吃吧，小家伙！先吃头。对，一口咬下去。对，永远先吃头——这才是正确的吃法，不管是蟋蟀、老鼠还是田鼠。”

“唔，”爸爸看着女儿把蟋蟀咽下去，叹着气说，“肚里晕乎乎的，是不是？”

昆郎眨眨眼睛，打了个哈欠。有时候爸爸妈妈真让他感到脸红，特别是爸爸这些愚蠢的笑话。“木头脑袋！”昆郎嘟囔道。

那个黎明，猫头鹰们都安静下来了，赛林被小妹妹的到来弄得兴奋不已，怎么也睡不着。爸爸妈妈已经回到上面他们睡觉的枝子上了，但赛林听见他们的说话声透过昏暗的晨曦，渗进树洞。

“哦，诺图，真是好奇怪——又有一只小猫头鹰失踪了？”

“是啊，亲爱的，好像是的。”

“最近几天一共有多少只了？”

“我想失踪了有15只了。”

“如果是浣熊祸害的，数量不可能有这么多。”

“是啊，”诺图语气沉重地回答，“还有一件事呢。”

“什么？”妻子用低沉的、微微发颤的声音问。

“蛋。”

“蛋？”

“蛋消失了。”

“从窝里消失的？”

“恐怕是的。”

“不可能！”玛莱拉大吃一惊，“我从没听说过这种事情。这太恶劣了。”

“我觉得一定要告诉你，万一我们又要孵小宝宝呢。”

“哦，真他妈见鬼。”妈妈惊愕地说。赛林的眼睛睁得溜圆。他以前从没听见妈妈说粗话。“但是我们在孵蛋期间很少离开窝呀。那些家伙一定是在监视我们。”她顿了顿，“一刻不停地监视我们。”

“那些家伙会飞或者会爬树。”诺图沉闷地说。

赛林感觉到一种恐惧在树洞里蔓延。他暗自庆幸伊兰在蛋里的时候没有被偷走。他发誓永远也不会让妹妹独自呆着。

在赛林看来，伊兰刚吃过她的第一只昆虫，就一直在不停地吃。爸爸妈妈告诉他，他以前也是这样的。“你现在也是，赛林！很快就要举行你的第一次吃带毛肉的仪式了！”

窝里最初几个星期的生活就是这样——一个仪式接着一个仪式。似乎每个仪式都以各种不同的方式，通向小猫头鹰生活中最重大、最庄严同时也是最快乐的时刻：初飞。

“带毛！”赛林轻声道。他想象不出那是什么滋味。从喉咙滑下去的时候会有什么感觉呢？妈妈总是把新鲜老鼠或松鼠肉上的毛都拔掉，把骨头都剔干净，然后把小小的肉块喂给赛林。昆郎马上就要迎来他的初骨仪式，那时候他就可以像赛林

的爸爸说的那样，吃“完整肉块”了。小猫头鹰就在初骨仪式之前开始跳枝训练。在那之后，他便会在父母监视下开始第一次真正的飞行。

“跳！跳！对了，昆郎！现在，你往下一根枝子上跳的时候扇动翅膀。记住，你现在只是在跳枝。不是飞。即使在第一节飞行课之后，只要我和妈妈还没有同意，你就不能独自飞。”

“知道了，爸！”昆郎用厌烦的口气说。然后他嘟囔道，“这种老生常谈的话，我已经听过多少遍了！”

赛林也听过许多许多遍了，尽管他离跳枝还早着呢。小猫头鹰最危险的就是在没有准备好的时候就开始飞。当然啦，小猫头鹰经常会趁爸爸妈妈出去打猎时这么做。试一试自己羽毛初丰的翅膀，这是多么诱人啊，然而，最后的下场很可能是灾难性的坠落，可怜的小猫头鹰无窝可归，说不定还摔成重伤，躺在那里成为凶恶的食肉动物的猎食对象。这次的老生常谈很短，跳枝课继续进行。

“动作干净利落！干净利落，孩子！声音轻点。猫头鹰飞起来无声无息。”

“可是我还没在飞呢，爸！你不是一直在旁边提醒我吗！我现在只是在跳枝，发出点声音又有什么关系？”

“坏习惯！坏习惯！最后的结果就是飞起来响声太大。跳枝时养成的吵闹习惯是很难改掉的。”

“哦，烦人！”

“哦，我就是要烦你！”诺图发起脾气来，扇了一下儿子的脑袋，差点把他打倒。赛林不得不承认昆郎连哼都没哼一声，只是站稳身体，恶狠狠地瞪了他爸一眼，继续跳跃——声音比刚才小一些了。

皮太太嘴里发出一串轻柔而短促的嘶嘶声。“那是一个犟种！天哪！天哪！幸亏你妈妈没在这儿，眼不见为净。伊兰！”皮圈太太突然喊了起来。她虽然眼睛看不见，却似乎随时都知道小猫头鹰们在做什么。这时她听见伊兰嘴里嚼着窝里的一只小臭虫。

“把那臭虫放下。猫头鹰是不吃臭虫的。那是家养的蛇做的事情。如果你养成吃臭虫的习惯，你就会发胖，变得肥嘟嘟的，就不可能会有初肉仪式，初毛仪式，初骨仪式，然后，也别想要……你知道是什么。这会儿，你妈妈正在外面寻找一只肥乎乎、毛茸茸的田鼠，给赛林作初毛仪式。说不定，她还会给你找到一只扭来扭去的漂亮的小蜈蚣呢。”

“哦，蜈蚣吃起来好玩极了！”赛林嚷了起来，“所有那些小脚都在你的喉管里挠来挠去。”

“哦，赛林，跟我说说你第一次吃蜈蚣的感觉吧。”伊兰央求道。

皮圈太太轻轻叹了口气。多么可爱啊！伊兰对赛林说的每一个字都深信不疑。小妹妹的一片真情，而赛林也以同样的深情爱着她。皮圈太太弄不懂他们的哥哥昆郎到底是怎么回事。

一个窝里总会有一个孩子与众不同，但昆郎不仅仅是与众不同。有点儿……有点儿什么东西……皮圈太太苦苦思索。昆郎身上有一点儿什么东西——一种不自然的、不属于猫头鹰的东西。

“唱那首蜈蚣歌，赛林！快唱吧！”

赛林把嘴巴张得大大的，唱了起来：

什么东西扭啊扭，
你吃起来咯咯笑？
谁的细细小脚丫
挠得你心儿怦怦跳？
啊，痒酥酥的感觉太奇妙
让我感到乐陶陶。

亲爱的蜈蚣，
是我最爱吃的小虫虫，
我总是怎么也吃不够。
蜈蚣的味道实在美，
甲虫和蟋蟀都比不过，
蟋蟀会让我打饱嗝。
只要有肥肥的小蜈蚣
我就会快乐到永久。

赛林刚唱完，妈妈就飞回洞里，把一只田鼠扔在脚边。“一只漂亮的胖田鼠，亲爱的。足够你的初毛仪式和昆郎的初骨仪式了。”

“我要都归我！”昆郎说。

“胡说，亲爱的，你不可能吃得下一整只田鼠。”

“一整只田鼠！”伊兰尖声尖气地说。“哦，妈妈，它押韵呢。我喜欢押韵[1]。”

“我要整只田鼠都归我。”昆郎坚持道。

“昆郎，你听我说，”玛莱拉用严厉的黑眼睛盯着儿子，“我们在这里不能浪费食物。这是一只很大的田鼠。足够你举行初骨仪式，赛林举行初毛仪式，伊兰举行初肉仪式的了。”

“肉！我要吃肉了！”伊兰兴奋地跳了起来。她似乎把吃蜈蚣的快乐完全忘到了脑后。

“所以，昆郎，如果你想要一只完全属于你的田鼠，你可以自己到外面去抓！我几乎花了一整夜才找到了这一只。一年里的这个时候，提托的食物稀少。我已经累坏了。”

一轮大大的橘黄色月亮升上了秋日的夜空。它似乎就高高地挂在赛林一家居住的那棵大枞树的上空，一道柔和的月光从树洞口透进来。在这样一个夜晚，举行猫头鹰们喜爱的、标志着他们的成长和时间流逝的仪式，真是再理想不过了。

---

① “一整只田鼠”的英文是“a whole vole”，读起来是押韵的。

于是，那天夜里，就在天亮之前，三只小猫头鹰举行了他们的初肉、初毛、初骨仪式。昆郎吐出了他的第一个像样的小食团儿，形状跟他的砂囊一模一样。砂囊把它挤压成一个连骨带毛的实心小球。“哦，是个很漂亮的小食团儿，儿子。”昆郎的爸爸说。

“是啊，没错，”妈妈赞同道，“真是值得称赞。”

昆郎第一次显出心满意足的样子。皮圈太太暗想，一只鸟有了这样高贵的消化系统，是不可能坏到哪儿去的。

那天夜里，从大大的橘黄色月亮开始慢慢滑下天空，到第一缕灰色的晨曦显露出来，诺图·奥巴给他们讲述猫头鹰们都爱听的歌佬时期的故事。歌佬是最古老的猫头鹰，所有其他猫头鹰都是歌佬的后裔。

爸爸说道：

“很久很久以前，在歌佬的时代，珈瑚王国有一种骑士般的猫头鹰，他们每天夜里都飞到黑暗中行侠义，做善事。他们只说真话，他们的目标是铲除邪恶，扶弱济贫，修补残缺，打击那些骄傲狂妄者，挫败那些欺凌弱小者的势力。他们怀着一颗高贵的心在空中飞翔——”

昆郎打了个哈欠。“这是不是真事儿呀，爸？”

“这是一个传说，昆郎。”爸爸回答。

“到底是不是真的？”昆郎抱怨道，“我只喜欢真实的故事。”

“昆郎，传说故事你一开始是用砂囊去感受，然后渐渐在心里变成了真实的。它或许会使你变成一只更好的猫头鹰。”

2 小命不值钱

在你心里变成了真实的！爸爸用低沉的喉音说的这句话，或许就是赛林最后的记忆了，接着他就“啪”的一声，掉在了一堆苔藓上。他抖抖身子，觉得有点儿发晕，便试着想站起来。好像骨头都没有断。但这件事是怎么发生的呢？他肯定没有趁爸爸妈妈外出捕猎时偷着试飞。天哪，他甚至都没有试过跳枝。就像妈妈说的，他离“飞行状态”还远着呢。那么这件事到底是怎么发生的呢？他只知道，刚才他还在树洞边缘朝外张望，盼着爸爸妈妈捕食归来，接着，就从空中栽了下来。

赛林歪起脑袋。枞树太高了，而他知道他们家的树洞在靠近树梢的地方。爸爸是怎么说来着——90英尺，一百英尺？但是数字对赛林来说没有任何意义。他不仅不会飞，也不会数数。他不知道这个数字到底是多少。但有一点他是知道的：他

有麻烦了——很棘手、很可怕、很恐怖的麻烦。他想起了昆郎抱怨过的那些枯燥的老生常谈。在这黑黢黢的森林里，可怕的事实沉甸甸地压向他心头——那些令人胆寒的话，“小猫头鹰还没学会飞行和捕食就离开爸爸妈妈，是不可能存活的！”

赛林的爸爸妈妈出去了，到很远的地方捕食去了。伊兰孵出来还没有多少日子，而冬天就要来了，他们需要更多的食物。所以赛林现在完全是孤立无援。他抬头望着这棵似乎消失在云端里的大树，简直无法想象自己有多么孤单。他叹了口气，轻声说，“太孤单了，太孤单了！”

然而，在他的内心深处有一个什么东西，像一朵希望的小火苗一样隐隐地闪着亮光。他摔下来的时候，肯定是用几乎光秃秃的翅膀做了点什么，用他爸爸的话说，“兜住了空气”。此刻，他试图回味那种感觉。在那短暂的一刻，他竟然感到坠落是很美妙的事。说不定他还能再次兜住空气呢，能吗？他试着竖起翅膀，轻轻地扑扇了几下。不行。在凉飕飕的秋风里，他感到翅膀光秃秃的，很冷。他又抬头看看大枞树。他能不能用他的爪子和嘴爬上去呢？他必须赶快采取行动，不然就会成为某种动物——一只老鼠或一只洹熊——的下一顿美餐。赛林一想到洹熊就感到发晕。他从窝里看到过它们——毛蓬蓬的，面目不清，长着尖尖的牙齿，怪恐怖的。他必须留神听着点儿。他必须像爸爸妈妈教他的那样把脑袋转动着偏向一边。爸爸妈妈听得非常仔细，即使在高高的树洞里也能听见森林地面上一只老鼠的心跳。那么他肯定也能听见洹熊的声音。他歪起脑袋，差点儿跳了起来。他真的听见了声音。一个小小的、刺耳而熟悉的声音，从高高的枞树上传来。“赛林！赛林！”是树洞里的声音，哥哥和妹妹都舒舒服服地躺在纯白色的绒羽里，那些绒羽是爸爸妈妈从自己的拨风羽底部拔下来的。但这声音不是昆郎的，也不是伊兰的。

“皮圈太太！”赛林大声喊道。

“赛林……你还……你还活着吗？哦，天哪，你当然活着，不然怎么会说出我的名字。我真是太笨了。你还好吗？骨头有没有摔断？”

“好像没有，可是我怎么回到上面去呢？”

“哦，天哪！哦，天哪！”皮圈太太唉声叹气。她在关键时刻也没什么主张。赛林心想，不能对保姆有这么大的期望。

“爸爸妈妈什么时候才能回来？”赛林大声问。

“哦，亲爱的，可能还要很久呢。”

赛林已经跳到像爪子一样突出地面的大树根上。他现在能看见皮圈太太了，她的小脑袋在树洞边缘晃来晃去，身上那些红红的鳞片闪闪发光。皮圈太太原本应该长着眼睛的地方，有两道小小的裂缝。“我可真是没办法了。”她叹着气说。

“昆郎醒着吗？也许他能帮帮我。”

停顿了很久之后，皮圈太太底气不足地回答，“也许吧。”她的声音显得很犹疑。赛林听见她在催促昆郎。“别闹脾气啦，昆郎。你弟弟他……他……他摔下去了。”

赛林听见哥哥打了个哈欠。“哦，老天。”昆郎叹了口气，赛林觉得他的语气显得并不焦急。很快，哥哥的大脑袋从树洞边缘探了出来。那张心型的白色脸庞上，一双黑乎乎的大眼睛望着赛林。“我说，”昆郎拖腔拖调地说，“你给自己惹的麻烦可不小啊！”

“我知道，昆郎。你能帮帮忙吗？你对飞行比我内行得多。你能教教我吗？”

“我教你？我可不知道从哪儿教起。你脑子坏了吧？”他大笑起来。“脑子彻底坏了。我教你？”他又笑了起来，笑声里带着深深的嘲讽。

“我脑子没坏。但你平常总跟我说你知道多少多少，昆郎。”这确实是实话。自打赛林孵出来之后，昆郎就一直在吹嘘自己有多么优越。他应该占据洞里最好的位置，因为他的绒毛已经落光，准备长出拨风羽了，所以更怕冷一些。他应该享受最大块的鼠肉，因为是他很快就要学飞了。“你已经举行过你的初飞仪式。告诉我怎么飞吧，昆郎。”

“怎么飞是没法告诉的。这是一种感觉，而且，这实际上是爸爸妈妈的工作。我要越俎代庖是很不礼貌的。”

赛林不明白“越俎代庖”是什么意思。昆郎为了把他镇住，经常使用一些大字眼儿。

“你在说什么呀？越俎代庖？”在赛林听来，这就像“吐食团儿”一样令人费解。可是“吐食团儿”跟教他学飞有什么关系呢？时间一点点过去。白天的光线渐渐消失，黑夜的影子正在降临。洹熊们很快就要出来了。

“我办不到，赛林，”昆郎用一本正经的语气回答，“我作为一只年轻的猫头鹰，在你的生命中承担这样的角色是极不合适的。”

“如果你不采取措施，我的生命就连两个小食团儿的价值都没有了。你难道不认为让我死掉也是不合适的吗？爸爸妈妈会怎么说？”

“我认为他们完全能够理解。”

我的老天爷！完全能够理解！他肯定是疯了。赛林惊得目瞪口呆，再也说不出一句话来。

“我去找人帮忙，赛林。我去找希尔达。”他听见皮太太用嘶哑的声音说。希尔达也是一条保姆蛇，替河岸附近一棵树上的猫头鹰一家干活儿。

“如果我是你就不会去，老皮。”昆郎的声音恶狠狠的，赛林觉得自己的砂囊都颤抖起来。

“不许叫我老皮，太没有礼貌了。”

“你不用再操别的心了，老皮——敢说我没礼貌！”

赛林眨眨眼睛。

“我非去不可，昆郎。你拦不住我。”皮圈太太坚决地说。

“我拦不住？”

赛林听见上面传来一阵沙沙声。我的天哪，出了什么事？

“皮圈太太？”此刻只有一片寂静。“皮圈太太？”赛林

又喊了一遍。也许她已经去找希尔达了。他只能怀着希望，耐心等待。

天差不多黑了，刮起一股冷风。没有皮圈太太回来的迹象。“第一口牙齿”——爸爸是不是总是这样形容这些初起的冷风？

冬天的第一口牙齿。想到这句话，可怜的赛林打了个寒战。爸爸第一次说这句话时，赛林还不知道“牙齿”是什么东西。爸爸解释说，猫头鹰没有牙齿，但大多数其他动物都有。牙齿是用来撕咬和嚼碎食物的。

“皮圈太太有牙齿吗？”赛林问。皮圈太太厌恶地抽了口冷气。

妈妈说，“当然没有，亲爱的。”

“那么，牙齿到底是什么呢？”赛林问。

“唔，”妈妈想了想，说，“你就想想嘴巴里都是喙——没错，很锋利的喙。”

“听起来很可怕啊。”

“是啊，有时候是很可怕，”妈妈回答，“所以你千万不能从树洞里掉出去，也不能在做好准备之前贸然试飞，因为洹熊就有非常尖利的牙齿。”

“你要知道，”爸爸插进来说，“我们不需要牙齿这样的东西。我们的砂囊承担了所有咀嚼的工作。我一想到把东西放在嘴里嚼，就觉得挺恶心的。”

“他们说这能增加美味，亲爱的。”妈妈说。

“我的砂囊能得到美味，足够的美味。那么你说‘我砂囊有数’这句老话是怎么来的？还有‘我砂囊有感觉’，玛莱拉？”

“诺图，我觉得这跟美味恐怕不是一回事。”

“就拿我们昨天晚上吃的那只老鼠来说吧——我可以从我的砂囊里知道它最近去过什么地方。它在那片美丽的草地上吃草，草地上还洒着河边那棵珈瑚小树的小果子。我的老天！我不需要牙齿也能品尝到。”

哦，天哪，赛林想，他可能再也听不到爸爸妈妈这样温和地拌嘴了。一只蜈蚣爬过去了，赛林根本没有理会。黑暗笼罩下来。夜色越来越浓，他从地面几乎看不见星星。这或许是最糟糕的。树木茂密，他看不见上面的天空。他多么想念树洞啊。在窝里，总有一小片天空供他们观望。夜里，天空中或群星闪烁，或云团飘浮。白天，经常是一片可爱的瓦蓝，有时候靠近黄昏，暮色降临，云彩变成了鲜艳的橘黄色或粉红色。这下面的气味很古怪——湿乎乎的，有股霉味。风叹息着刮过上面的树枝，刮过树叶和针叶，然而在地面上……唉，风似乎根本碰不到地面。四下里寂静得可怕。是一种没有一丝风的寂静。这不是一只猫头鹰应该呆的地方。一切都变了样儿。

如果他的羽毛哪怕长出了一半，他就能把它们支楞起来，拨风羽下面的绒毛就能使他保暖。他想到他可以试着呼唤伊兰。可是她能派上什么用呢？她还这么年幼。而且，如果他大声喊叫，会不会让森林里的其他动物发现他的存在？那些有牙齿的动物！

他想他的这条小命不值两个小食团儿。可是，虽然命不值钱，他仍然想念着爸爸妈妈。这份思念太强烈了，他甚至感觉到它很尖锐。没错，他确实感到砂囊里有一个牙齿般尖锐的东西。

3 被抓！

赛林正梦见牙齿和老鼠的心跳，突然听见头顶上传来一阵轻微的沙沙声。“妈妈！爸爸！”他在半梦半醒中喊了起来。他一辈子都后悔自己喊出了这两个词，瞬间，夜晚被一声刺耳的尖叫撕裂，赛林觉得一双利爪擒住了他。现在他被拎起来了。他们飞得很快，他没想到会有这么快，比他所能想象的速度还要快。爸爸妈妈从来没有飞得这么快。他曾经注视他们从树洞飞出去又飞回来。他们慢慢地滑翔，然后以优美而慵懒的螺旋形飞入夜空。而此刻下面的土地迅疾地掠过。一道道尖锐的空气划过他的皮肤。月亮从厚厚的云层后面翻滚出来，用诡异的白光把世界变得白森森的。他在下面的景物中搜寻曾经是他家的那棵大枞树。可是树木全都变成了模糊一片，接着，提托王国的森林似乎在黑夜中变得越来越小，越来越模糊，最

后赛林再也不敢往下看了。于是他鼓起勇气抬起目光。

这只猫头鹰脚上的羽毛十分茂盛。赛林的目光继续往上移。这是一只很大的猫头鹰——究竟还算不算是猫头鹰呢？在这个怪物的头顶，在每只眼睛上面，有两簇羽毛，看上去就像一对多余的翅膀。赛林心想这是他见过的最奇怪的猫头鹰了，就在这时，那只猫头鹰眨眨眼睛，垂下目光。黄眼睛！他从没见过这样的眼睛。他自己的爸爸妈妈、哥哥妹妹的眼睛都是深色的，接近黑色。偶尔飞来的爸爸妈妈的那些朋友，眼睛是褐色的，有的或许带点儿暗金色。可是黄眼睛？这不对头。很不对头！

"感到吃惊了！"那只猫头鹰眨眨眼睛说，但赛林说不出话来。于是猫头鹰继续说，"是啊，你瞧，这就是提托王国的问题——你从没见过其他种类的猫头鹰，只见过你的同类——卑微而平凡的谷仓猫头鹰。"

"你说得不对。"赛林不服气说。

"你竟敢跟我顶嘴？"那只猫头鹰尖叫道。

"我见过乌草猫头鹰和假面猫头鹰。我还见过水湾猫头鹰和煤灰猫头鹰。我爸爸妈妈几个最好的朋友是乌草猫头鹰！"

"笨蛋！他们都是提托种。"那只猫头鹰冲他吼道。

笨蛋？成年猫头鹰是不应该这样说话的——不应该这样对小猫头鹰说话。这很不好。赛林决定自己保持沉默。他再也不往上看了。

"这家伙恐怕不好管教呢。"他听见那只猫头鹰说。赛林微微转过头，看他在跟谁说话。

“哦，我的天哪！真不知道费这么多事值不值得。”另一只猫头鹰的眼睛不是很黄，更偏褐色，羽毛上满是白色、灰色和褐色的斑点。

“哦，我觉得还是挺值得的，林伯。可别让斯嘣听见你这样说话。不然你会被记大过，我们都又要被迫忍受她那没完没了的关于端正态度的训话。”

这只猫头鹰的长相也不一样。他远没有另一只猫头鹰那么大，而且他的嗓音里带有一种轻微的“叮叮”声。过了至少一分钟，赛林才注意到这只猫头鹰爪子里也抓着什么东西。似乎是某种动物，看着很像猫头鹰，可是小得出奇，比一只老鼠大不了多少。就在这时，那小家伙眨了眨眼睛。黄的！赛林忍住想要吐小食团儿的冲动。“别说话！”小猫头鹰用尖尖的小声音说，“等着。”

等什么？赛林心里纳闷。但是不一会儿，他就感觉到另一些翅膀的拍打声撩动了夜空。又有一些猫头鹰来到他们旁边。每只爪子里都抓着一只小猫头鹰。然后那只抓住赛林的猫头鹰嘴里发出低低的哼哼声。慢慢地，两边的其他猫头鹰也加入进来。很快，空气里就响着一种奇怪的音乐。“他们在唱赞美诗呢，”那只小猫头鹰轻声说，“声音越来越大，我们就能说话了。”

赛林听着赞美诗的歌词。

圣灵枭啊圣灵枭，

我们的谷物之神。

我们高唱颂歌赞美你，

每一只忠诚的猫头鹰

都永远牢记你辉煌的旗帜。

我们向你金色的圣爪

表示我们深深的敬意。

你是我们希望和恐惧的向导。

听，赞美的歌声不绝于耳

我们会永久享受喜悦欢欣。

歌声在漆黑的夜色中越来越浑厚饱满，小猫头鹰开始说话了，“我的第一个建议是多听、少说。他们已经注意到你是一个坏脾气的猫头鹰，一个不好管教的家伙了。”

“你是谁？你是什么？你为什么长着黄眼睛？”

“你明白我的意思吗？这根本不是你应该关心的事。”小猫头鹰轻轻叹了口气。“不过我还是告诉你吧。我是一只精灵猫头鹰，我叫吉菲。”

“我在提托从没见过精灵猫头鹰。”

“我们住在高处的沙漠王国——昆里。”

“你还会再长大吗？”

“不会了，就这么大。”

“可是你实在太小了呀，你的羽毛倒全都长出来了，几乎全都长出来了。”

“是啊，这是最糟糕的。我再过一星期左右就可以飞了，没想到被抓住了。”

“可是你才多大啊？”

“出生二十夜了。”

“二十夜！”赛林吃惊地喊了起来。“你年纪这么小就能飞了？”

“精灵猫头鹰出生二十七到三十夜就能飞了。”

“六十六夜是多少？”赛林问。

“很多。”

“我是一只谷仓猫头鹰，我们要六十六夜才会飞。那么你是怎么回事？你是怎么被抓住的？”

吉菲没有立刻回答。过了一会儿才慢慢地说，“你爸爸妈妈总是告诫你不要做什么事？”

“没准备好就飞。”赛林说。

“我就是这样，结果摔下来了。”

“可是我不明白。你刚才说只差一星期了。”赛林当然并不知道一个星期有多长，也不知道二十七夜有多长，但它们听着都比六十六夜要短。

“我性子太急了。本来我的羽毛长得挺好的，可是我失去了耐心。”吉菲又顿了顿。“那么你自己呢？你肯定也试着飞

了吧？”

“没有。我也不知道到底是怎么回事。我莫名其妙就从窝里摔出来了。”赛林刚说完这句话，就产生了一种异样的感觉。他几乎知道了。虽然记得不很清楚，但他几乎知道是怎么回事了，他内心有了一种恐惧和耻辱混杂的情绪。他感到砂囊深处有一个可怕的东西。

4 圣灵枭猫头鹰孤儿院

猫头鹰们开始侧着身子，以很陡的角度盘旋下降。赛林眨眨眼睛，往下看去。下面没有一棵树，没有一条河，也没有一片草地。只耸立着一根根巨大的、针一般锋利的岩石，岩石之间是陡峭的深渊和参差不齐的峡谷。这不可能是提托。赛林能想到的只有这些。

往下，往下，一直往下，他们盘旋的圈子越来越小，最后降落在一道陡峭而狭窄的峡谷的石头地面。赛林从这里倒是能看到天空，但天空似乎比以前更遥远了。头顶上传来风声，风呼啸着刮过这个粗糙的石头世界的上层，声音遥远而凄厉。然后，一个更响、更锐利的声音刺破了呼啸的风声。

“欢迎，小猫头鹰们。欢迎来到圣灵枭。这里是你们的新家。你们在这里将会找到真理和目标。是的，这就是我们的座

右铭。当找到真理时，目标也就出现了。”

这只邋里邋遢的大角猫头鹰用一双黄眼睛盯着他们。她眼睛上方的几簇羽毛朝上竖着，左翅膀上的羽毛分开，露出一块难看的皮肤，上面有一道弯弯曲曲的白色伤疤。她站在这片花岗岩峡谷的一块突出的岩石上。“我是斯吭，是圣灵枭的阿巴拉将军。我的工作是教你们真理。这里不鼓励提问，因为我们觉得提问经常使人不能专心寻找真理。”赛林发现这让他感到非常困惑。他从孵出来之后就一直在提问题。

阿拉巴将军斯吭还在继续讲话。“你们现在是孤儿了。”这话使赛林大吃一惊。他不是孤儿！他有爸爸妈妈，也许不在这儿，但是在另外的什么地方。孤儿的意思是爸爸妈妈都死了。这个管自己叫阿拉巴什么什么的斯吭怎么敢说他是个孤儿！

“我们救了你们。你们在这里的圣灵枭，将会得到各种东西，使你们变成为更高利益服务的卑微奴仆。”

赛林从没听过这样令人震惊的话。他不是被救，而是被抓。如果他是被救，那些猫头鹰就应该飞起来，把他送回他家的窝里。还有，更高利益又是什么玩意儿呢？

“为更高利益服务的方式有许多种，我们的工作就是弄清哪一种最适合你们，并发现你们有什么特殊天赋。”斯吭眯起眼，最后两只眼睛变成了羽毛脸上的两道亮晶晶的琥珀色细缝。“我相信你们各自都有各自的特点。”

就在这时，传来许多猫头鹰的叫声，然后声音汇成了歌声。

要发现某人的特殊品质，

所过的生活必须十分卑微。

决不提问，只有服从，

这是圣灵枭的大慈大悲。

这首短歌结束的时候，阿巴拉将军斯吭从她栖身的石头上飞了下来。她用凶狠的目光盯住他们大家。“小孤儿们，你们将要开始一段惊心动魄的冒险。待会儿我让你们解散以后，你们会被领进四个大场中的一个，在那里会发生两件事。你们会得到自己的编号。然后你们还会上第一节课，学习用合适的方法睡觉，并且还会被领着在睡梦中齐步走。这些都是通向特色仪式的第一步。”

这只猫头鹰究竟在说些什么呀？赛林十分纳闷。编号？大场是什么？猫头鹰睡觉怎么需要别人来教？还有在睡梦中齐步走？那是怎么回事？现在还是夜里。哪只猫头鹰会在夜里睡觉？可是，他还没来得及仔细思索这些问题，就感觉到自己被轻轻推到一个队伍里，跟那只叫吉菲的小个子精灵猫头鹰不是同一个队伍。他把脑袋几乎转了一百八十度寻找吉菲，终于看见了她。他竖起光秃秃的翅膀挥了挥，可是吉菲没有看见他。只见她大步行走，眼睛直视着前方。

赛林所在的那支队伍在深深的岩谷间蜿蜒行走。圣灵枭猫

头鹰孤儿院这地方就像一个石头迷宫，错综复杂的小路在峡谷、岩缝和凹坑间穿行。赛林有一种不安的感觉，担心他再也见不到那只小个子精灵猫头鹰了，更糟糕的是，再也无法从这些石头筑成的篱笆里逃出去，返回提托的森林世界，那里有着茂密的树木和波光粼粼的河流。

他们终于在一个圆形石坑里停了下来。一只羽毛浓密的白色猫头鹰摇摇摆摆地朝他们走来，眨了眨眼。她的眼睛闪动着 种柔和的黄光。

“我叫芬妮，是你们的石坑监护人。”她说着轻轻地笑了几声。“有些猫头鹰管我叫石坑天使。”她慈爱地望着他们。“如果你们都管我叫‘芬姨’，我会很高兴的。”

芬姨？赛林不明白了。我凭什么要管她叫芬姨？但他想起了不能提问。

“当然啦，我必须称呼你们的编号，很快，就会有人把你们的编号告诉你们。”芬妮说。

“哦，太好了！”站在赛林旁边的一只小小的斑点猫头鹰兴奋地跳上跳下。

这一次，赛林没有及时牢记这里是不鼓励提问的。“你为什么想要编号而不要名字？”

“我叫红藤！换了你也不会喜欢这个名字的，”斑点猫头鹰轻声说，“好了，嘘。记住，不许提问。”

“当然啦，”芬妮继续说道，“如果你们是卑微听话的小猫头鹰，学会了谦虚和服从的功课，就能赢得你们的特色等级，然后得到你们真正的名字。”

可是我的真名是赛林。这是我爸爸妈妈给我起的名字。这些话在赛林的脑海里震响，就连他的砂囊似乎也在颤抖着表示抗议。

“好了，我们排队举行编号仪式吧，我在这里给你们准备了一顿诱人的小便餐。”

赛林这支队伍里大约有二十只猫头鹰，赛林排在队伍中间。他注视着这只白色猫头鹰，芬姨或芬妮——红藤对他说了，芬妮是一只白雪猫头鹰——把一块拔了毛的老鼠肉扔在每只猫头鹰面前的石头上，“啊，你的号码是 12-6。多么可爱的号码啊，亲爱的。”

每个号码都是“漂亮的”、“可爱的”、或“亲爱的”。芬妮殷勤地弯下脑袋，经常亲切地拍一拍刚刚“得到号码”的小猫头鹰。赛林觉得事情还不算太坏，并希望吉菲也有这么好的猫头鹰做石坑监护人，就在这时，那个每只眼睛上支楞着一簇羽毛的凶恶的大猫头鹰，就是抓住赛林的那只，突然降落到芬妮身边。赛林看见这只猫头鹰直盯着自己，然后垂下脑袋对着芬妮的耳朵悄悄说了几句什么，赛林觉得一股恐惧的寒意渗透了他的砂囊。芬妮点点头，没有表情地看着他。他们在谈论自己。这点赛林可以肯定。他简直无法在坚硬的石头上挪动爪子，朝芬妮走去。很快就要轮到他了。再有四个猫头鹰就轮到

他“得到号码”了。

“你好，小可爱，”赛林走上前时，芬妮柔声细语地说，“我要给你一个很特别的号码！”赛林没说话。芬妮继续说，“你不想知道它是什么吗？”这是个陷阱。这里不鼓励提问。“我不应该提问。”赛林就把这句话说出来了。

“我不应该提问。”芬妮眼睛里流淌出黄色的柔光。赛林一时觉得很迷惑。然后芬妮探过身，耳语般地对他说，“你知道吗，亲爱的，我不像有些猫头鹰那样严厉。所以，如果你真的特别想问一个问题，就尽管问吧。可是记住千万要压低声音。给，亲爱的，多给你一小块鼠肉。你的号码是……”她叹了口气，整个白色的脸上似乎都闪着黄光。“是我最喜欢的——12-1。是不是很特别！这是一个不同寻常的号码，我相信你一定会发现自己作为一只猫头鹰的特殊天赋。”

“谢谢。”赛林说，他还是觉得有点糊涂，但总算放心了，看来那只凶恶的猫头鹰并没有跟芬妮说他的坏话。

“谢谢谁呢？”芬妮咯咯笑了。“看见了吗？我有时候也有问题要问呢。”

“谢谢芬妮。”

芬妮又把脑袋朝他探过来。那黄色的柔光变得有点刺眼了。“再说一遍，”她轻声说，“再说一遍……来，看着我的眼睛。”赛林注视着那黄色的光。

“谢谢芬姨。”

“对了，亲爱的。我就是一只抱窝的老鸟，喜欢别人叫我芬姨。”

赛林不知道抱窝的老鸟是什么，但他叼起鼠肉，跟着前面的猫头鹰走进了大场。两只羽毛蓬乱的褐色大猫头鹰护送他们。大场是一个深深的方形峡谷，地面上满是熟睡的小猫头鹰。月光直接照在他们身上，把他们的羽毛镀成了银色。

“排好队，你们俩！”高处的岩缝间响起一个粗暴的声音。

“说你呢！”一只胖乎乎的猫头鹰走到赛林跟前。赛林的心跳顿时加速，因为这也是一只谷仓猫头鹰，跟赛林全家一样。他有着白色的心型脸庞和熟悉的黑眼睛。然而，尽管这两只眼睛的颜色跟赛林和他家人一模一样，他却发现这只猫头鹰的目光令人害怕。

“退后，准备摆好睡姿。”这些指令是用谷仓猫头鹰常有的粗哑喉音发出来的，虽然很熟悉，赛林却并不觉得令人宽慰。

接着，那两只护送新来孤儿的猫头鹰对他们讲话。他们是长耳猫头鹰，一簇簇羽毛从眼睛上方支楞出来，不断抽动。赛林发现这特别让人神经紧张。他们说话时用短促而低沉的“嘭”声来换气。这“嘭”声比刚才斯吭的咆哮更令人不安，因为这声音似乎钻进赛林的胸口，发出可怕的“当啷”一声。

“我是杰特，”第一只猫头鹰说，“我以前有个号码，但现在我赢得了我的新名字。”

“为什——”赛林把这个词吞了回去。

“12-1 号，我看见你那令人恶心的嘴巴准备提问！”那“嗯”声狠狠砸进赛林内心深处，他觉得自己的心都快爆炸了。

“让我把话说清楚，”猫头鹰声音的重击简直令人无法忍受。“在圣灵枭，以‘什么’字音开头的句子是不许说的。这些句子是问句，是一种精神奢侈和放纵的习惯。提问会使想象力膨胀，却会使猫头鹰的艰苦、忍耐、卑微和自我牺牲的本能变得萎缩。我们决不会放纵你们随便使用‘什么’的句子、提问的句子。它们都是脏话和粗话，应该受到我们最严厉的惩罚。”杰特眨眨眼睛，把目光落在赛林的翅膀上。“我们的目的是把你们培养成真正的猫头鹰。总有一天，你们会为此感谢我们的。”

赛林觉得自己快要被吓晕过去了。这两只猫头鹰跟芬妮太不一样了。不是芬妮，是芬姨！他暗暗地纠正自己。杰特又用一记“嗯”声接上话头。“现在由我兄弟跟你们说话。”

一个完全一样的声音。“我是加特。我以前也有一个号码，现在也赢得了我的新名字。你们现在要摆好睡姿。站直身子，抬起脑袋，把嘴尖冲着月亮。看到了吗，这个大场里有几百只猫头鹰。他们都学会了用这种方式睡觉。你们也要学会。”

赛林看看四周，焦急地寻找吉菲的身影，却只看见了红藤，也就是 12-8 号。她已经摆出了完美的睡姿。从她脑袋一动不动的样子，赛林看出她已经在满月的照耀下沉沉睡去。赛林看见一道石头拱门，他估计通向另一个大场。一大群猫头鹰似乎在齐步走。他们的嘴巴一张一合，但赛林听不见他们在说什么。

这时杰特又说话了。“把脑袋藏在翅膀底下或耷拉在胸前睡觉是绝对禁止的，也不准用你们许多小猫头鹰习惯的那种方式睡觉，就是半扭着身子，把脑袋放在背上休息。”赛林感觉到至少七个“什么”在嗓子眼里默默地夭折。“睡姿不对，我们也要用最严厉的方式进行惩罚。”

“睡姿监督员在大场里巡逻，每隔一段时间就会到处转转。”加特继续说。

接着又轮到杰特说话。他们的时间似乎掐得很精确。赛林觉得这番讲话他们已经讲过许多遍了。“还有，每隔一段时间，你们就会听到警报声。一听到这声音，大场里的所有小猫头鹰都必须开始**睡梦齐步走**。”

“在睡梦中齐步走的时候，”加特接过话头，“你们一边齐步走，一边重复自己原来的名字，一遍又一遍。当第二声警报响起时，你们就原地停住，把你们的号码名说一遍，只说一遍，然后再次摆出睡姿。”

两只猫头鹰同时用吓人的重音说道：“好了，睡觉！”

赛林强迫自己入睡。他真的努力了。也许芬妮——应该是芬姨，会相信他。可是，他的砂囊里总有一点异样的感觉，似乎有点隐隐作痛，使他难以入睡。满月的光洒下来，照亮了半个大场，这月光似乎变成了锋利的银针，刺入他的脑袋，扎进他的砂囊。也许他跟爸爸一样有一个非常敏感的砂囊。然而这

一次，他不是在“品尝”那只草地老鼠吃过的芳香的青草。他是在品尝恐惧。

* * * * * *

不知道过了多久，警报声响起，很快他要开始第一次睡梦齐步走了。他一遍遍地重复着自己的名字，跟着组里的猫头鹰齐步走，走向了那道高高的拱门的阴影里。“啊。”赛林叹了口气。脑袋被刺痛的感觉停止了。他的砂囊也平静下来。赛林变得警觉了，这是一只在夜里生活的猫头鹰应该有的状态。他看了看周围。那只名叫红藤的小个子斑点猫头鹰站在他旁边。“红藤？”赛林说。她茫然地望着他，脚下啪啪作响，似乎想要走路。

一个睡姿监督员飞了下来。“12-8 号，为什么原地踏步？快摆好睡姿。”

红藤立刻把嘴尖朝上，脑袋微微仰起，但是在岩石的阴影里，没有月光照在她脸上。赛林也摆着睡姿，偷偷地斜眼观察她。真奇怪，他想。她对自己的号码名有反应，却对原来的名字没有反应，只是脚底下动了动。新的睡姿很别扭，赛林怎么也睡不着，他扭过头去打量那道石头拱门。他在拱门的另一边看见了吉菲，可是太晚了。警报声响起，声音高亢、刺耳。他还没反应过来，几千只猫头鹰就开始齐步走，把他推搡着向前。几秒钟后，四下里一片模糊不清的嘈杂声，每只猫头鹰都在一遍又一遍地重复自己原来的名字。

赛林看出来了，他们是跟着月光在大场里绕圈行走。可是猫头鹰实在太多，不可能同时都沐浴在满月的亮光里。因此，每隔一段时间就有几只猫头鹰处在拱门下的阴影里。既然他和吉菲刚才同时绕过拱门，说不定还会在那里碰到呢。他打定主意，下次一定要接近吉菲。

可是还要再等三轮。他还要连续三轮对着月光皎洁的夜晚念叨自己的名字。连续三轮在砂囊里感受那种可怕的隐痛。“12-1 号，翘起嘴尖！”是睡姿监督员的声音。他感到脑袋侧面挨了重重一记。红藤仍然在他旁边。她嘴里嘟囔道，“12-8，多么可爱的名字。12-8，多么完美的名字。我最喜欢二、四和八。念起来多顺口啊。”

“红藤。”赛林轻声唤道。红藤的爪子似乎在地上动了动，但除此之外，没有任何反应。“红藤！红藤！”他又试了试，但是小个子斑点猫头鹰沉浸在某种无梦的熟睡中。

最后，赛林终于来到了拱门下，他快速挪向拱门的另一边，这里连着旁边那个大场。睡姿监督员正好吼叫着命令道：“现在睡觉！”

突然，吉菲出现了。这只小个子精灵猫头鹰把脑袋朝赛林转过来。“他们在给我们月光催眠呢。”她轻声说。

5 月光催眠

“什么？”终于说出了一声“什么”，这感觉太好了，赛林几乎没有听清对方的回答。

“你爸爸妈妈没有跟你说过睡在大月亮底下的危险吗？”

“什么是大月亮？”赛林问。

“你是什么时候孵出来的？”

“大概三个星期前吧。反正我爸爸妈妈是这么说的。”赛林还是拿不准一个星期是什么意思。

“噢，怪不得呢。在提托有许多大树，是不是？”吉菲问。

“是啊。许多许多，上面满是美丽的枞针和松果，还有变成金色和红色的树叶。”其实，赛林也拿不准树叶会不会变颜色，他只看见过金色和红色的树叶。但是爸爸妈妈告诉他，在一个名叫夏天的季节，树叶是绿色的。昆郎就是在绿色季节快要结束的时候孵出来的。

“是啊，我是三个多星期前孵出来的。”他们悄悄说话，把声音压得很低，而且保持着睡姿，但两人谁都没有一点儿睡意。“我是在月盈期之后孵出来的。”

“月盈期？那是什么时候？”赛林问。

“是这样，月亮有阴晴圆缺，在月盈期，月亮很细很细，比一根瘦瘦的小绒毛粗不了多少，那是新月亮的第一道光亮。随着每一天过去，月亮就会越来越粗，越来越胖，最后变成一轮满月，就像现在这样。它会保留这个样子三到四天。然后就到了月亏期。月亮不再越变越厚、越变越胖，而是开始缩小，变得越来越细，最后，又变得和一根最纤细的绒毛差不多瘦。然后，它就会暂时消失。”

“我从没见过。至少我认为自己没有见过。”

“哦，月亮就在天空，但你大概并没有看见，因为你家的窝在茂密森林里的一个大树洞里。而像我这样的精灵猫头鹰是生活在沙漠上的。那里没有这么多树，而且许多树都没有什么叶子。我们几乎总是可以看见整个天空。”

“天哪！”赛林轻轻叹了口气。

“所以，他们告诉我们所有的精灵猫头鹰要警惕满月的亮光。尽管大多数猫头鹰都是白天睡觉，有时候，特别是捕猎之后，会感到疲倦，就会在夜里睡觉。如果睡在外面满月的月光底下就很有危险。猫头鹰的脑子会因此而变得乱糟糟。”

“怎么会呢？”赛林问。

“我也不清楚。我爸爸妈妈从来没解释过，他们只是说，那只名叫罗锅的老猫头鹰就因为满月的光照得太多，精神失常了。”吉菲顿了顿，迟疑了一下，继续说道，“他们还说，罗锅经常分不清哪边是上、哪边是下，后来他以为自己是从一株仙人掌顶上起飞，结果撞断了脖子。”说到这里，吉菲的声音几乎哽咽了。“他以为自己是朝星空飞去，其实重重地栽到了地上。这就是月光催眠的危险。你再也弄不清什么是真实的、什么是虚幻的。什么是事实、什么是谎言。什么是真的、什么是假的。那就是被月光催眠了。”

赛林非常吃惊。“太可怕了！我们就在遭遇这样的事吗？”

“如果想办法阻止，就不会这样，赛林。”

“那我们怎么办呢？”

“我也拿不准。我们考虑考虑吧。现在，尽量把脑袋歪一点儿，别让月光直接照在上面。记住，在大月亮底下飞行是没有问题的，但是在月光下睡觉就非常危险。”

“我还不会飞呢。”赛林轻声说。

“是啊，要保证自己不要睡着。”

赛林把脑袋歪到一边，同时把嘴巴垂下来，看着这位小个子的精灵猫头鹰。他暗自惊叹。这样一个小家伙怎么会这么聪明？他满心希望吉菲能想出点什么。想出一个主意。就在他陷入沉思时，突然传来一声刺耳的吼叫。“12-1 号，直起脑袋，翘起嘴巴！”又是一位睡姿监督员。他感到脑袋侧面又被重重打了一下。他和吉菲都没有睡着，等巡逻的猫头鹰一离开，他们就又开始小声交谈了。可是，一眨眼工夫，又响起了无法逃避的警报声，睡眠齐步走又开始了。还要再经过三个轮回，他们才能在拱门下再次碰头。

“记住我告诉你的话。千万别睡着。”

“我太累了。怎么能忍得住呢？”

“想想事情。”

“什么事情？”

“什么事情都行——”吉菲迟疑了一下，一个睡姿监督员把她往前推去，“想想飞行！”

飞行，对啊，想想飞行，这肯定能让赛林保持清醒。没有比这更令人激动的了。然而这个时候，所有关于飞行的想法都被他不断重复自己名字的声音淹没了。

“赛林……赛林……赛林……赛林……”除此之外，还有大家排着队齐步走时，几千只爪子“嗒嗒”敲击坚硬的石头地面的声音。赛林排在红藤和一只大角猫头鹰中间，这只大角猫头鹰的名字混在其他名字的噪声中，听不真切。排在他们前面的是三只白雪猫头鹰。每一组大约有二十多只猫头鹰，都排成松散的队伍，但是他们像一个方阵一样步调一致，每只猫头鹰都没完没了地重复着自己的名字。在这片混杂的噪音中很难听清某个具体的名字，不久，就在第四轮睡眠齐步走时，赛林开始感到自己的名字听着有些古怪。又重复了一百遍左右，它听上去几乎根本不像一个名字了，而只是一个声音。而他，也变成了一个没有意义的生灵，没有自己的真名，没有家人，但

是……但是……但是或许还有一个朋友？

最后，他们又停了下来。就在他们突然停步的寂静的一刻，赛林突然明白了这是怎么回事。一切都明白了，特别是当他想起吉菲跟他讲的月光催眠的事。单是这点就能让他保持清醒，直到再次跟吉菲碰头。

“他们是用我们的名字给我们催眠，吉菲，”赛林在石头拱门下悄悄凑近那只小猫头鹰，惊愕地说。头顶上空只有星星在眨眼睛。吉菲一下子就明白了。一个不断重复的名字会变成一种没有意义的声音。当名字失去了自己的个性和含义，将会逐渐沦为一种虚幻的东西。赛林接着说道，“你就动动嘴巴，或者说自己的号码，千万别说你的名字。这样你的名字就会保存下来。”可是，至少还有三个满月的夜晚，然后月亮才会开始逐渐缩小，最后完全消失。

吉菲吃惊地看着赛林。这只普通的谷仓猫头鹰自有他的过人之处。这真是太棒了。吉菲更觉得必须想出一个办法，解决在满月的亮光下睡觉的问题。

6 两地同心

那个漫长的夜晚快要结束的时候，赛林和吉菲分别了，他们望着对方，眨眨眼睛，害怕得浑身发抖。如果他们能住在同一个石坑里，就能互相说说话，一块儿想办法、订计划。吉菲跟赛林说了一点她那个石坑的事。她也有一个石坑监护员，似乎脾气很好的样子，至少跟杰特、加特和斯吭相比是这样。吉菲的石坑监护员叫阿舅，是舅舅的简称，而且他也像芬姨一样，总是想办法给吉菲准备一些特殊的款待——有时是一块蛇肉，甚至经常称呼吉菲的真名称呼她，而不是她的号码——25-2号。吉菲告诉赛林她的石坑监护员怎么叫她管自己叫“阿舅”，那做法就跟芬妮坚持让赛林叫她“芬姨”时一模一样。

“这一切真是太古怪了，”吉菲说，“我先是叫他先生，结果他说，‘先生？太一本正经了。可不是吗！记得我叫你称呼

我什么吗？’‘叔叔。’我回答。‘不对……不对……我把我的别名告诉过你。’”

他的别名就是阿舅，吉菲描述阿舅怎样从她嘴里套出这个爱称，赛林听着，完全能够想象，那只大角猫头鹰弯下身子，跟小个子的精灵猫头鹰的眼睛齐平，耳朵上面那几簇浓密的羽毛几乎擦着了地面。

“这两个石坑监护员待我们好得不同寻常，”赛林说，“但还是感觉有点儿吓人，是吗？”

“没错！”吉菲回答。“我管他叫阿舅以后，他才给了我蛇肉。”说到这里，吉菲叹了口气。“我清清楚楚地记得我的初蛇仪式，就好像那是昨天的事。爸爸把响尾蛇尾巴上的环儿留给我和姐姐们玩。你知道吗，赛林？阿舅好像能看透我的思想，就在我想着自己的初蛇仪式时，他就说了，‘我甚至可以找一些响尾蛇的环儿给你玩玩呢。’虽然我对他再三道谢，可心里并不舒服，赛林。”

赛林完全明白小个子精灵猫头鹰的意思。

此刻他们分开了，赛林多么希望吉菲能想出办法来啊。吉菲呢，肚子里又一次塞满了阿舅额外给她的蛇肉，在石坑里感到昏昏欲睡。阿舅甚至允许她偷偷再睡一会儿——又是一份款待，或者是贿赂？可是吉菲睡不着。她吞下了那么多肥美的蛇肉——对她这种身量的猫头鹰来说确实太多了，因此感到很困，但就在她快要睡着的时候，某个东西，某个想法，就会刺中她模糊的意识。赛林在隔壁的石坑里，正在拼命集中意念，“想点什么，吉菲！想点什么吧！”

芬姨真是太好了。赛林回到石坑时，她说她从没见过一个比赛林更疲倦的猫头鹰。“一点儿也没睡吗？”

“恐怕没有，芬姨。”赛林回答。

“哦，你听我说。你干吗不跳到那个小石缝里去呢？那里正好能塞得下你，别人又看不到，你可以稍微闭会儿眼睛。”

“你是说睡觉？”这个问题脱口而出，“对不起我提问了。”

“当然，亲爱的，我是说睡觉，你不用为提问而道歉。我们以后再严格起来好了。”

“但这是违反规矩的呀。我们应该为完成使命而做好准备呢。”

“有时候，规矩制定出来就是让人违反的。在我看来，他们应该对你们这些刚来的猫头鹰宽松一些才是。看在老天的份上，你们是孤儿呀。”

听到自己被称作孤儿，赛林仍然感到深深的不安。他有爸爸、妈妈，还有一个妹妹和一个哥哥。不知道为什么，他觉得被称作孤儿是一件很丢脸的事，特别是当你不是孤儿的时候。就好像你是一个与亲人断绝关系、没人疼爱的家伙。

“我知道，”芬姨继续说，“我活像一只抱窝的老鸟。”什么是抱窝的老鸟？赛林不明白，但他克制着想提问的冲动。赛林纵身一跃，跳到上面那个石缝里。我的天哪，他想，我跳得真不赖。凭着一跳，准能通过我的跳枝考试。接着他感到非常难过，因为他想到他甚至不可能跟着爸爸学习跳枝课程了。

睡意迟迟不来——就连闭一会儿眼睛也很难办到，因为当赛林想到跳枝的时候，当然也就忍不住想到了飞行，想起了曾经注视着昆郎试飞，以及昆郎的第一次小小的飞行。赛林大脑的某个角落里隐隐地有个什么东西，是一段记忆。赛林不知道自己睡了多长时间，最后叫醒他的不是芬姨。而是别的东西，某种无法言说的东西。他又一次感到那种混杂着恐怖的恶心。就好像他的砂囊快要爆炸了。而那个可怕的事实像石头一样落在他的内心。是昆郎推了他！回忆像闪电一样袭来。那样真实，他仍然能感到昆郎的爪子迅速踢在自己身上的感觉，接着他便从树洞边缘摔落下去。

他的双腿开始颤抖。芬姨来到他身边。“需要吐小食团儿吗，亲爱的？”

“是的。”赛林有气无力地说。他吐出一个可怜巴巴的小食团儿。他还能指望什么呢？他连初骨仪式都没有举行过，这时他又一次想起，昆郎吐出第一个带骨头的小食团儿时是怎样的趾高气扬。这里他们也有初骨仪式之类的东西吗？他们做每件事情都这么奇怪。比如说编号仪式吧。他们居然管那叫仪式！仪式应该是使人感到与众不同的。编号仪式没有给他留下任何感受。芬姨倒是挺好的，但其他人就绝对没有这么好了，还有这家孤儿院——到底是怎么回事呢？圣灵枭的真实目的是什么呢？阿巴拉将军斯吭说过，“当真理找到时，目的也就出现了。”不许提问，要卑躬屈膝。此时此刻，赛林只知道一个真相，这个真相使他的砂囊渗透了寒意：是哥哥把他从窝里推出来的。想点什么，吉菲，赛林想。想点什么吧！

7 了不起的计划

“假装齐步走，赛林。我们必须这么做！”

这个时候，栖息在一块突出岩石上的那只凶狠的大角猫头鹰刚发出第一声刺耳的尖叫。赛林和吉菲在大石头上集合，等候分配早餐。

“你说什么？假装齐步走？”赛林眨眨眼睛。赛林发现了哥哥的真实面目，同时格外思念爸爸妈妈，他简直听不见吉菲在说什么。他满脑子都想着爸爸妈妈。似乎每个小时他都会以一种新的更痛苦的方式思念他们。他想，对爸爸妈妈的思念是不可能变得习以为常的。再也见不到爸爸妈妈是他知道的最难以忍受的事。可是他没法让自己停止去想他们。他永远不会也不愿意停止去想他们。

“听我说，赛林。我先想到，他们之所以让我们齐步走，是因为大场的悬崖峭壁投下一道道阴影，而且那道拱门总是处

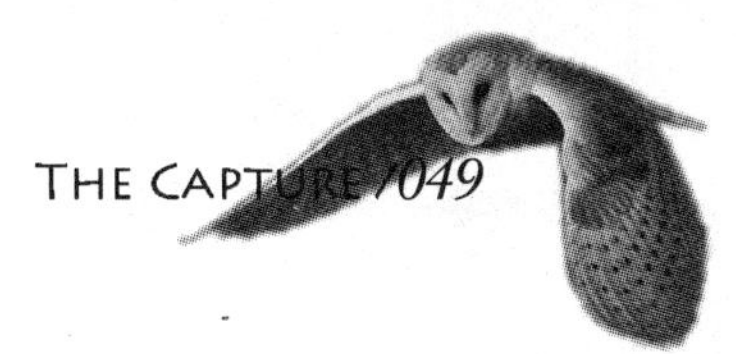

在阴影里。对吗？”

“是的。”赛林点点头。

“他们逼着我们齐步走，这样就没有一组猫头鹰会在那些阴影里待很长时间，得不到月光的照射。我记得你说的话，你说我们必须假装念自己的名字，实际上念的是我们的号码。那样一想就容易了。我们必须假装齐步走，实际上并不移动，这样就能一直呆在阴影的保护下了。我突然想起了我爸爸的话，他是一位了不起的领航员，是整个昆里沙漠里数一数二的优秀领航员，他有一次跟我解释说，星星，甚至月亮，都不是按照我们从地球上看到的方式运转的。我父亲说，有些星星看上去一动不动地挂在天空，但实际上它们是在运转。”

“什么？”赛林闷声闷气地问。

“是这样，我知道听起来有些费解，但我爸爸解释说，是因为距离太遥远了，星星的运转才被误以为静止不动。我父亲说，月亮虽然比许多星星都近，但实际上也离我们非常遥远，所以我们看不见它滑过夜空时摇摇摆摆的样子。你想，既然像月亮这样的庞然大物的动作都能被掩盖，我们这些小不点儿的动作难道就不能被掩盖吗？”

赛林的眼睛开始发亮。吉菲越说越兴奋。“我们可以像星星一样，只不过是倒过来的。也就是说，如果我们呆在原地，假装前进——如果我们原地踏步——会怎么样？”

“那些监督员怎么办呢？”赛林问。

“这我也想过了。监督员总是站在齐步走的猫头鹰队伍的边缘。

他们其实看不清楚队伍中间的情况。昨天夜里我看见一只乌草猫头鹰绊了一跤。没有谁说‘噢，对不起’或‘快走！’或‘你这只笨鸟’。所有的猫头鹰只是闪到一边，从那只乌草猫头鹰周围绕过去。所以，我们为什么不假装齐步走，但每次都呆在拱门的阴影里呢？明白了吗？我们可以原地踏步，假装是在走动。”

“这真是个了不起的计划，吉菲！”赛林的声音里充满敬佩。

“我们今天夜里就来试试。我都等不及了，”吉菲说，“可是我现在饿了。”

“就是这个？”一只颜色发暗的大猫头鹰把一只死蟋蟀推到赛林面前的石块上，赛林眨眨眼睛问道。“噢，我是说，就是这个！”赛林赶紧把刚才的问句纠正过来，一边低头望着圣灵枭称作早餐的东西。没有鼠肉，没有肥肥的蚯蚓——哦，喂一只蜂鸟还差不多！一只蟋蟀！太荒唐了。他会饿死的。

小猫头鹰们停下来吃早餐，四下里只有他们的嘴巴咬碎蟋蟀的声音。赛林简直不敢相信竟然没有人说话。小猫头鹰都喜欢一边吃东西一边说话。他的小妹妹伊兰有时候说话实在太多，妈妈不得不提醒她赶紧吃饭。“吃那只甲虫的腿，伊兰。快吃腿。你说话太多了，把甲虫最好吃的部分都错过了。”

所以，此刻的寂静开始让他感到不安，确实，构成圣灵枭的那些石头峡谷里都有一种可怕的寂静。当然啦，这里总能听见呼啸的风声，还有爪子敲在坚硬的岩石表面的此起彼伏的嗒嗒声。除此之外，就没有多少声音了。只有一种令人崩溃的与世隔绝感，似乎与大地、甚至与天空都隔离了。赛林开始意识到，这些猫头鹰的整个生活——如果还能称之为生活的话——都是在圣灵枭深深的石槽、石缝、峡谷和罅隙里度过的。这里水很少——偶尔有一道溪流，可以供他们把嘴巴伸进去，润润嗓子。这里也没有树叶，没有他能看见的苔藓，没有草地——没有那些柔软的东西包裹世界，使世界变得温柔而有弹性。这是一座石头森林，到处是参差不齐的突出的石峰、石块和石尖。

他们已经快吃完了，所以连嗒嗒声也没有了，只有蟋蟀被嚼碎的声音。旁边一只猫头鹰嘟囔道："真希望吃到一小片蛇肉。"

"唉。"赛林叹了口气，想起了皮圈太太。他们家人出于对皮圈太太的尊敬，总是避免吃蛇。皮圈太太说这完全没有必要。"就让我看看大家都喜欢的鼠蛇或牛蛇好了。"她总是说。"别担心我的感情。我对这样的蛇没有什么感情。"但赛林的爸爸妈妈还是尽量避免这样的食物。赛林的爸爸称之为"物种过敏"。赛林不明白这是什么意思，但他不愿意伤害皮圈太太的感情，虽然她一口咬定自己没有感情。赛林当然并不相信她的话。他认为皮圈太太有着很丰富的感情。她是世界上最可爱的动物，赛林想起自己摔下来后，皮圈太太在大枞树高高的树洞里喊他的情景，他的心跳变得剧烈了。想起皮圈太太的声音，他简直忍不住要哭。那天夜里皮圈太太怎么样了？昆郎是不是对她也下了毒手？或者，她跑出去找人来帮忙了？她想他吗？

爸爸妈妈想他吗？于是，思念的痛楚又一次袭上心头，想到今后永远见不到爸爸妈妈，赛林的脚步都踉跄起来。接着他想起了昆郎，不禁再次浑身颤抖起来。

“你没事吧？”吉菲问。她个子真小啊，勉强到赛林的翅膀尖儿。

“是啊，我觉得不太舒服，”赛林喘着气说，“什么都不对劲儿。你不想念你的爸爸妈妈吗？你不想知道他们认为你出了什么事吗？”

“想啊，当然想。我只是不敢想这些，”吉菲回答，“听着，打起精神来。我们还有那个了不起的计划呢，记得吗？”

“‘打起精神来’，这是什么意思？你知道我刚才弄清了我哥哥的什么事吗？”

“你看，我们没多少时间了，”吉菲着急地说，“你要确保你被派到小食团儿场。”

“小食团儿场？”赛林茫然地说。

8 小食团儿场

芬姨突然出现了。“抓蜷蜂，你是最理想的。你看，在我们这个可爱的石头天地，抓蜷蜂的季节要长得多。它们藏在石缝里和隐蔽处，然后大中午出来在阳光底下晒暖儿。”

“嗯……”赛林说，“我觉得有点儿饿，你知道的，芬姨。我觉得也许小食团儿场更适合我。”

“哦，小食团儿场！”芬姨显得有点迷惑不解。从来没有一只小猫头鹰提出换一种工作岗位或培训计划。她看着这只谷仓猫头鹰。他的脸色可不太好。如果他在抓蜷蜂的时候表现不佳，肯定会给她带来不利影响。还有，如果她满足了这只猫头鹰的要求，就等于让他欠了自己一个人情。让一只小猫头鹰觉得有负于你，总是没有坏处的。“好的，好的，我想可以。”她望着小猫头鹰。赛林感觉到了她眼睛里温柔的黄光。“好了，亲爱的，别忘了我为你做的事，别忘了我让你享受的，”——她敲敲鸟嘴——“‘那个小盹儿’。”黄光变得像闪烁的金子一样锐利。“好了，跟着那边那个队伍到小食团儿场去吧。”

“我是 47-2 号。我是你们在小食团儿场里的指导。跟我来。”这只小猫头鹰说起话来与众不同。她的声音清脆而空洞，不像杰特和加特那种可怕的换气声和敲击声，但跟赛林听见过的其他猫头鹰也不一样。

47-2 号大步朝前走，赛林和吉菲跟在后面。很快，他们就听见所有小猫头鹰的爪子敲击地面的声音，他们又一次准时地齐步走了。现在，47-2 号那种古怪而空洞的嗓音，似乎在浩浩荡荡齐步行走的小猫头鹰队伍上空盘旋。

每个小食团儿都有自己的故事。
每个小食团儿都有自己的故事。
有羽毛、牙齿、骨头
还有一两块石头，
每个小食团儿都有自己的故事。

我们怀着喜悦解剖每个小食团儿。
没准儿会发现一只老鼠的膝盖骨。
我们秘密进行着这件神圣的工作，

永远不会感到疲倦，

也永远不会偷懒马虎。

那些核心部分的明亮微粒，

使我们的心为之欢腾雀跃，

它将永远成为最深奥的秘密。

赛林和吉菲走进小食团儿场，眼前所见的情景令他们大为震惊。他们被领进了另一个石头峡底，在一块块岩石板上，几百只猫头鹰的脑袋上下跳动，面前是猫头鹰吐出的几千个小食团儿。赛林和吉菲如果有谁知道“地狱”这个词的意思，一定会认为这里无疑就是地狱最可怕、最糟糕的部分。可是赛林和吉菲来到世界上的时间都很短，还不知道“地狱”和其他可以形容这个地方的词。在他们被抓之前，只知道可以被称为天堂的东西。住在高处可爱的树洞里，或住在铺着爸爸妈妈绒羽的仙人掌里，每天几次都有肥美的昆虫送到面前，然后吃到第一口鲜嫩的鼠肉。除了这些美味的食物，还有故事——关于飞行的故事，关于学飞的故事，关于起飞时砂囊深处的微妙感觉的故事。

47-2号走到他们跟前，用她古怪而空洞的声音开始说话：“我是所谓的三级分拣员。我在小食团儿里拣出最大的东西——一般都是卵石、骨头和牙齿。二级分拣员负责拣羽毛和兽毛。一级分拣员负责拣微粒。这就是一个微粒。”47-2号用爪子指着打开的小食团儿里一点最细小的颗粒。“这是一种金属。”她顿了顿，“或者诸如此类的东西。”她含糊其词地补了一句。“你们不需要知道它们是什么。你们只需要知道微粒很贵重，比金子还要贵重。微粒分拣员，是小食团儿场里最高的技术级别。明天我就要晋升一级，成为一名二级分拣员了。因此，我作为最有资历的三级分拣员，我的任务就是指导你们。”说完，这只小猫头鹰眨眨眼睛，又开始哼唱那首难听的歌。

“开始当一名分拣员时，最好使用你们的嘴巴。爪子可以用来抓牢小食团儿。你们发现的每件东西，都要整整齐齐地排在石板上——那是你们的工作区域。不把东西排列整齐是一件最严重的过错。犯了过错，就必须受到严厉的惩罚，这将在我们的笑声疗法中得到展示说明。”

赛林和吉菲听不懂这只小猫头鹰在说什么。笑声疗法？“你们要勤奋工作，总有一天你们也会得到晋升。”然后，小猫头鹰走到布满小食团儿的石板上，俯身对准一个小食团儿。“开始吧。工作时严禁使用自己的小食团儿。”47-2 号恶狠狠地瞪着赛林。然后她低下带斑点的脑袋，开始分拣。

赛林感到嗓子被堵住了，他又吐出了一个小食团儿。

赛林和吉菲不知道他们工作了多长时间。似乎永远也没有尽头。不过，小食团儿场里并不是寂静无声。每隔一段时间，从高处岩石架上监督工作的那些较小的猫头鹰，有一只就会发出一声低沉的、口哨般的警报，然后那首小食团儿歌的歌声又

会再次响起。他们的歌声像47-2号的说话声一样空洞。但是赛林觉得唱歌主要是为了给他们干活提供一种节奏。他猜想那些歌词就像他们原来的真名一样，已经变得没有意义了。在唱歌的间隙，周围也不是一片寂静。当然啦，发号施令的声音总是有的。“10-B区域需要新的小食团儿。”或者“20-C区域需要加快速度。”此外还有猫头鹰工作时的谈话，可是赛林和吉菲仔细倾听那些谈话时，觉得它们越来越奇怪。突然，跟赛林在一块石板上工作的一只小猫头鹰开始说话了。“12-1号，我今天上午感觉好极了。我刚完成了我的第一批小食团儿。我相信等你完成了你的第一批小食团儿，你的感觉也会好极了的。完成一批小食团儿的感觉是一种稀有的满足感。我每天上午这个时候都会有这种稀有的满足感。”

稀有？赛林想。这个词他是知道的，爸爸妈妈告诉过他们，他们所属的谷仓猫头鹰家族——也就是提托·奥巴家族——变得稀有了，也就是说他们的数量不多了。那么，这只小猫头鹰的满足感如果每天上午都在特定时刻出现，怎么可能会是稀有的呢？

“我的感觉也好极了。”另一只猫头鹰也说话了，这次转向了吉菲。说的话几乎完全一样。

现在，每隔一段时间，两只猫头鹰就轮流转向赛林和吉菲，简短地汇报一下他们的满足感。有时，这些汇报里还夹杂着评论。“25-2号，作为你这样一只身材特别小巧的小猫头鹰，你的啄姿真是很漂亮。”

“谢谢。”吉菲回答，并以她认为温顺的方式低了低头。

“你是最受欢迎的，25-2 号。”

然后离赛林最近的那只小猫头鹰说话了，“12-1 号，你的啄技有很大的提高。你的工作很勤奋、很细致。”

“谢谢。”赛林说。然后不知为什么，他又加了一句，“非常感谢。”

“欢迎你。但你不必过分礼貌。这是浪费精力。礼貌是它自身的回报——就像微粒。”

“什么是微粒？”这个问题脱口而出，尽管许多小食团儿的歌里都提到微粒，但赛林怎么也弄不明白它们到底是什么。他能理解在小食团儿里找到羽毛、骨头和牙齿，可是这些神秘的微粒是怎么回事呢？两只小猫头鹰都发出几声刺耳的尖叫，跟他们平常的声音截然不同。“问题警报！问题警报！”两只凶猛的深色羽毛的猫头鹰，凶恶的黄眼睛上面竖着两簇暗红色羽毛，他们俯冲而下，把赛林拖了起来。

“赛林，你怎么能——”吉菲差点儿喊了出来，幸好她的问题在嘴边咽了回去。

两只猫头鹰揪着赛林飞向空中，赛林觉得他的砂囊直朝爪子坠落下去。这两只猫头鹰押送他的方式令他痛苦极了。他们用爪子各抓住他的一个翅膀，他似乎要被扯成了两半！他们在小食团儿场里盘旋而上，赛林觉得身子下面不是爸爸经常说的柔软的浮力，而是一浪接一浪的振动的噪音，似乎从下面捶打着他。

“他们在笑话你，12-1 号。他们笑得真厉害，空气都被他们的笑声震动了！”其中一只猫头鹰说。

“你，12-1 号，”另一只猫头鹰也说话了，“你是我们今天笑声疗法的第一个目标。”赛林一声不吭。不管有多少问题在他的脑海和想象里敲击，在他的嘴尖上跳动，他都绝不会再发问了。那两只猫头鹰带着他飞到了一个很高的岩架上，下面整个小食团儿场里的猫头鹰都能看见他们。那些小猫头鹰的笑声，再加上许多监督员和卫兵的笑声，撞到石壁上又弹回来。赛林脑子里充斥着一片可怕的嗡嗡声。他觉得自己马上就要精神错乱、失声尖叫了。

“现在，是笑声疗法中最美妙的时刻！”一个刺耳的尖声说。空气振动了，阿巴拉将军斯吭降落在赛林身边。接着，斯吭的副司令斯嘣长官来了，眼睛里射出琥珀色的喜悦的光芒。哦，我的天哪！赛林想。还有什么？

9 好心的芬妮奶妈

"哦，12-1号！哦，我的天哪！看看你吧。"

芬妮呻吟一声，眨眨眼睛。

"怎么回事？"赛林问。他的眼睛扑闪着睁开了，感觉到自己沐浴在芬姨那双眼睛温柔的黄光里。

"好了，好了，亲爱的。你就是因为提问题才惹的麻烦。我们必须严格一些了。你所需要知道的就是，你违反了规矩，现在回到了石坑，回到了我身边……"芬姨嘴里发出一串柔柔的令人宽慰的鸣叫。然而，一个接一个的问题在赛林脑海里冒了出来。为了不让它们脱口而出，他几乎不得不把嘴巴夹起来。他肯定是在笑声疗法的过程中晕了过去。他脑子里拼命回忆当时的情景。他记得听见问题警报，记得两只凶恶的嘴巴，还记得那笑声——哦，那笑声真可怕——可是他的翅膀为什么

疼得这么厉害呢？这次，问题在他脑海里自行消失了，不是因为他不敢问，而是因为他转过脑袋，看见了自己的翅膀。光秃秃的！“我的天哪！”他嘟囔道，说完立刻就又昏了过去。

“好了，好了！”芬妮嘴巴发出嗒嗒的声音。“就让我来照料吧，你很快就会感到好受一些的。你不需要那些傻乎乎的小羽毛。”

“不需要我的羽毛！”这不是提问。难道这只猫头鹰彻底疯掉了吗？“不需要我的羽毛。”他又说了一遍，忍不住想问他以后怎么飞行，但及时闭紧了嘴巴。芬姨正在用嘴把什么东西咬碎。她像吐小食团儿一样打了个嗝，一团湿乎乎的苔藓从她嘴里直接落在赛林的翅膀上。感觉舒服多了，赛林叹了口气。“感觉很好，没错。治疗你这种伤痛，什么也比不上这种石头上的苔藓。现在你可以叫我奶妈了。”

“奶妈？”赛林赶紧纠正自己，“哦，奶妈！”

“你在进步，亲爱的。你学得很快。有时候我们不得不严格一点。但我相信你已经学到了教训，以后再也不会被拔毛了。”

“拔毛！”赛林大吃一惊。竟然是他们拔了他的毛？这不是一次意外事故？

“我知道！我知道你在想什么。其实我也不赞成这种做法。可是你知道我说话是不管什么用的。我只能尽力好好地照顾我石坑里的每一只小猫头鹰。我尽力。我尽力。”说着说着，她几乎呜咽起来。

其实芬姨或奶妈并不知道赛林心里在想什么，她一点都不知道。她慈祥地看着赛林。当然啦，她没有提问，但是赛林觉得自己不得不说，“芬姨……噢，奶妈。”对这只年迈的白雪猫头鹰来说，称呼

似乎特别重要。赛林非常小心地试图通过不提问的方式，说清楚自己的想法——唉，他确实学到了教训。“奶奶，我不明白，为什么你在这石坑里这么善良，而他们在大场和小食团儿场里却那么坏。他们坏得莫名其妙。”

“啊，是有原因的。”

“是有原因的。”赛林的话平平淡淡，没有一点提问的意思。这是可以做到的。

“你知道的，”芬妮继续说，“为了塑造性格。”

“塑造性格。”赛林还是用那种平淡的语气重复道。

“通过精心安排的惩罚和自我否定，你就会锻炼得坚韧不拔。”奶妈说话的声音很单调，似乎这番话她以前说过许多次了。

“毁掉翅膀能塑造性格。我明白了。”赛林努力让自己的话听上去通情达理，声音里决不透露一点感到荒唐的意思。

“哦，对啊，你真的明白了。我太高兴了。”

“想想吧，我还一直以为飞行是猫头鹰天性里的一部分呢。我真蠢啊。”他的演技真是越来越高明了。

“哦，你是个聪明的小家伙，”奶妈欢快地低声鸣叫，“你很懂事。没错，如果一只猫头鹰命中注定能飞，就能获得飞的机会。”

“是啊，是啊，当然啦。”赛林说，竭力让自己的语气显得合情合理。然而，他的砂囊在疯狂地抽搐，他的心跳得那么剧烈，一种不祥的恐惧袭上他的心头。

“哦，12-8号来了。她是DNF的出色典范。”

赛林不解地望着她。

“DNF，亲爱的。意思就是命中注定不能飞[①]。12-8号就是一个。她在接受培训，准备当护理员！”

12-8号是谁？赛林在脑海里所有的号码间搜寻。这号码听着很耳熟，就在这时，赛林看见了那只名叫红藤的小个子斑点猫头鹰，刚来的那天，她欢天喜地地接受分配给她的号码，因为她讨厌自己的名字。此刻她就在近旁跳来跳去。

“过来，12-8号。你的第一节护理课。”芬姨用颤音说。

红藤，或12-8号，眼睛里的神色更加呆滞了。“噢，一位病人！一位病人！告诉我怎么做苔藓膏。”

芬妮开始教这只小个子的猫头鹰怎么用嘴把苔藓捣成柔软的糊糊。赛林必须承认他并不反对她们关注他的翅膀，他感到两个翅膀确实舒服多了。他仔细观察12-8号把苔藓敷在他身上，心里纳闷她为什么命中注定不能飞行。他开动脑筋，想用一种不提问的办法得到答案。“我今天上午在小食团儿场好像看见你了。”

“哦，没有，没有，那不是我！我绝对只是个抱窝的。”

“抱窝的。”赛林重复一遍。对方只是沉默。“抱窝的。”赛林又重复一遍。还是沉默。“抱窝肯定很舒服，在抱窝场里工作。”赛林凭空编造出这个词来。

---

① DNF是“Destined Not to Fly”的缩写，意思是“命中注定不能飞”。

“那不叫抱窝场。”12-8号用被月光催眠的那种空洞呆滞的声音说。

“哦，不是这个词，”赛林淡淡地说，“是啊，我真是笨死了。是另外一个词。我一时想不起来了。”

“不，不是一时想不起来。你根本不知道。谁也不知道。”12-8号的声音变得尖刻了。“绝密。”

“绝密。”

“绝密。我有许可证。”小个子猫头鹰得意地膨胀起身子。

“飞行许可证。”

“绝对不是！太愚蠢了。如果我有飞行许可证，就不可能拿到绝密许可证。”可是难道你不想飞吗？赛林几乎想把这个问题喊出来。就在这时，芬妮回来了。

“啊，12-8号，你干得很出色。你会成为一个多么出色的小护理员啊。”

“我的翅膀确实舒服多了。”赛林讨好地说，他惊叹自己这么快就变得这样会骗人了。哦，没错，他的翅膀确实感觉舒服些了，但是赛林又有了一个主意，他又想把一个问题伪装成说话的方式提出来。“我想跟你们说说什么才能让我振作起来，让我的砂囊感到舒坦。”

“哦，我们也想知道呢，亲爱的。”芬妮柔声低语。

“故事。我最喜欢的故事是珈瑚传奇。对，好像大家都叫他们珈瑚帮。”

芬妮芬姨的嘴里发出一种奇怪的声音，介于吐小食团儿和尖叫之间，然后她一下子昏倒在地。

“哦，我的天哪！哦，我的天哪。我不知道你说了什么，但我现在必须护理奶妈了。”小个子斑点猫头鹰快步小跑着去找药了。

“我知道我说了什么，”赛林轻声对自己说，“我说的是‘珈瑚传奇’。”

10 在颠倒的世界里

第二天夜里，吉菲和赛林在大场的拱门下碰头。他们准备开始那个了不起的计划，但是赛林突然产生了疑虑。

“我真的很担心，吉菲。这办法恐怕行不通。”

“赛林，”吉菲恳求道，“谁也不知道是否行得通，但如果我们不去尝试，就会失去什么呢？”

“首先会失去我们的大脑。”赛林回答。吉菲发出“啾啾”的轻笑声，这笑声几乎是所有猫头鹰共有的。

空中“忽”地一下，转眼间小个子精灵猫头鹰就被掀翻在地。“不许有笑声。只有在斯嘣副官的指挥下才能发出笑声。不许再犯。下次会立刻给你汇报上去，我会迫不及待地看着你接受教训，让你知道什么是正确的笑声。”

监督员走开了。赛林和吉菲无言地面面相觑。这肯定是所能想象的最奇怪的地方。他们教人学睡觉！教人学笑声！笑声疗法！赛林真不明白圣灵枭这样一个地方到底是干什么的。他们在这里究竟学习什么？为什么？那些比金子还要贵重的微粒又是什么？斯吭和斯嘣想要把他们变成什么？肯定不是猫头鹰！然而，没有时间思索这些了。赛林还有一个心思，自从那次笑声疗法之后，这心思让他越来越感到不安。

"吉菲，你也许能逃出去，我不行。但你可以。"

"你在说些什么呀，赛林？"

"吉菲，过不了多久，你的羽毛就丰满了——你自己看看吧。我认为你今天又长出了几根初级飞羽。你很快就能离开了。"

"你也是啊。"

"你在说些什么呀？我简直怀疑你被月光催眠了。他们把我的羽毛拔光了呀，吉菲。"

"他们拔掉的是你的绒羽。你看，你的初级飞羽的尖尖还在，而且我还看见了一些次级飞羽呢。"

赛林抬起一只翅膀，仔细端详。吉菲说得对。可是，赛林心想，没有了绒羽……

吉菲好像猜透了他的心思。"飞行的时候不需要绒羽，赛林。绒羽是保暖用的。没有绒羽也能飞。最多会感到有点冷。而且谁知道呢？等你的拨风羽都长出来后，说不定你还会再长出一些绒羽来呢。"

赛林又眨了眨眼睛。第一次，他那张雪白的心型脸上那两只宝石般乌黑的眼睛，闪烁出了希望的光芒，吉菲的心里也感到很振奋。

她必须要让赛林相信他能做到这点。她必须要让赛林从心底里相信那个了不起的计划。

吉菲曾经注视过她的哥哥姐姐长到那个阶段，他们没完没了地跳跃了一些日子之后，似乎谜一般地聚集起力量，腾空飞起。她记得自己问过爸爸他们是怎么做到的。此刻，爸爸的话又在她耳畔回响：

“吉菲，你会永远都在练习，但仍然飞不起来，除非你真的相信自己会飞。只有这样，你的砂囊里才会有那种感觉。”说到这里，爸爸停住话头，然后又用一种沉思的口吻说，“很滑稽是不是，我们所有最强烈的感觉都来自我们的砂囊——甚至关于翅膀的感觉也不例外。”为了证明这一点，他竖起了自己的几根拨风羽。“都来自我们的砂囊。”他又说了一遍。

“听我说，赛林，”吉菲说，“当时你昏过去，他们把你抬走之后，我在小食团儿场里发现了许多东西。”

赛林眨眨眼睛，抖了抖肩膀，年幼的猫头鹰感到尴尬或难为情时都会这么做。“是啊，吉菲，当我愚蠢地提问时，你在旁边听着呢。”

“别再打击你自己啦，”吉菲严厉地说，“他们已经这么做了。”吉菲的直率令赛林大吃一惊。他不再眨眼睛，而是直视着这只精灵猫头鹰。“听着，我刚才怎么跟你说的？圣灵枭的一切都是颠倒的、翻转的。我们的工作就是不让自己被月光催眠，在一个颠倒的世界里保持清醒。如果做不到这点，我们就

永远不可能逃出去。我们就永远不能思考。而只有思考，我们才能想办法逃跑。所以你听我说。”赛林点点头，吉菲继续说道，“首先，我已经弄清楚了，今夜是第三个满月之夜。实际上，月亮已经开始缩小了。记得吗，我跟你说过的。再过几天，你会看到月亮差不多快要消失了，我们也就用不着担心被月光催眠了。随着日子一天天过去，大场会变得越来越黑，我们也就越来越容易找到阴影。但是与此同时，我们必须假装自己被月光催眠了。”

赛林克制着自己不再提问，尽管他知道向吉菲提问是没有危险的。但是他不愿意打断吉菲的思路。赛林清楚地知道，这只精灵猫头鹰虽然各个方面都很小，但她的思想却一点儿也不小。而且他看得出来，吉菲此刻正在苦苦思索着什么。

“再经过一轮月盈期，”吉菲接着说道，“你的拨风羽就差不多全长出来了，到了满月的时候，你肯定就能飞了。”

“那么你呢，吉菲？你再过几天就能飞了。”

“我会等你的。”

“等我！”这不是一个问题。赛林实在太惊讶了，惊讶得简直说不出话来。所以，最后是吉菲提出了问题。

“有什么不对吗，赛林？”

“吉菲，我不敢相信你刚才说的话。你明明能够逃出去了，为什么要等我呢？”

“问得好，赛林。我绝不会把你撇下的。首先，你是我的朋友。如果我独自逃出去，那么我的生命在我看来不值两个小食团儿。第

二，我们需要对方。”

“我需要你超过你需要我。”赛林用细小的声音说。

“哦，熊屎！”赛林又一次不敢相信自己的耳朵。熊屎是洹熊粪便的简称，是一只小猫头鹰能说出来的最大胆、最肮脏、最难听的话。每次皮圈太太汇报说她阻止昆郎捉弄伊兰时昆郎冲她说“熊屎”，妈妈就会把昆郎结结实实地狠揍一顿。

“赛林，是你发现了他们利用我们的名字给我们自己催眠，这真是太厉害了。”

“但首先知道月光催眠的是你啊。我连听都没听说过。”

“我只是知道一件你不知道的事。那不是思考，只是碰巧知道而已。如果你早一点孵出来，或者生活在沙漠上，你也会知道的。可是现在我知道了一些新的东西。知道吗，赛林，”吉菲继续说道，“他们把你弄走以后，我有了一个发现。那只47-2 号小猫头鹰派我去跑个腿。就在小食团儿场的外面……”吉菲看看四周，然后压低声音继续讲述她的经历。这时，第一道月光刚刚滑过暗黑的夜空。

11 吉菲的发现

“我要去告诉小食团儿收集员，说我们那片区域需要新的托盘。4-2 号指了指一个方向，她管那里叫‘大缝’。实际上它离我们那儿很近，顺着小食团儿场侧面的一块岩石一直往上。他们吩咐我钻进大缝，在那里别的小猫头鹰也将要去仓库，我只要跟牢他们不掉队就行了。于是我就这么做了。”

吉菲把故事讲得绘声绘色，赛林可以想象出顺着岩石裂缝前进的每一个拐弯。就好像他当时跟吉菲在一起似的……

“大裂缝上还岔出许多小裂缝，有时候还能听见说话声。说来有趣，走在我前面的那些小猫头鹰似乎根本没有注意到这些小裂缝，也没有听见那些说话声。也许他们经常走这条路，这对他们来说已经没有什么意义了。但是我看看四周，发现在裂缝的某个地方能看见天空。是啊，非常美丽，就那么一小道天空，像一条蓝色的小河在上面流淌，接着在一个地方，天空看上去很低。你知道，"——吉菲停下来，沉思了一会儿——"赛林，我们来到这里以后，我一直感觉圣灵枭孤儿院是在很深很深的石头峡谷里。峡谷的幽深和陡峭使这里成为一个天然的监狱。可是在那条小路的某个地方，我发现我们在上面的高处，并没有这么深。那里离天空很近。"

"离天空很近。"赛林轻声重复。以前，他也曾经离天空很近。以前，他住在一棵大枞树的高高的树洞里，里面铺着爸爸妈妈从胸脯上拔下来的毛茸茸的绒羽。以前，他就生活在靠近那片蔚蓝的地方。那白天的蔚蓝和夜晚的黑暗曾经离他那么近。怪不得一只小猫头鹰在还不会飞的时候就差不多相信自己会飞了。天空是猫头鹰的一部分，猫头鹰是天空的一部分。

吉菲继续往下说，"我琢磨着，在返回小食团儿场的路上我要想办法在那个地点好好观察一番。接着我又想到，也许我可以假装往前走。你知道的，就像那个了不起的计划一样。这是一个很好的测试。会有人注意吗？也许不会，而且，那里好像根本就没有监督员。"吉菲的眼睛亮了起来，她停住话头，希望这个想法能在赛林心里生根，并使赛林相信真的能行得通。

"于是，在回来的路上，我就真的这么做了。似乎谁也没有注意到什么。他们只是从我周围绕过去，就好像我是突出地面的石墙的一部分。接着，一件特别离奇的事情发生了。一只小猫头鹰似乎在我附近被绊倒了。这是一只年幼的白雪猫头鹰，她朝我眨着眼睛，我想，‘糟了，她发现我站在这里原地踏步了。’于是我指着上面的天空——就好像我是在欣赏风景。‘天空。’我欣喜地说。那只猫头鹰眨眨眼睛，不是表示疑问，而完全是被催眠之后的那种眨眼。他们在睡眠齐步走时重复自己名字的时候，眼睛里就是这样的神情。”吉菲深深吸了口气，似乎即将说出最最关键的内容，那也确实如此。“我这才明白，对于这些小猫头鹰来说，许多词语都像他们的名字一样没有意义，没有任何意义。你能想象吗，赛林？一只猫头鹰居然不知道天空是什么！”

赛林想了想，觉得无法想象。真的吗？他想起芬妮说过有些猫头鹰命中注定不能飞。可是赛林又有一个问题。“这只小猫头鹰是不知道这个词，还是真的不知道天空是什么呢？”吉菲眨眨眼睛。赛林确实是个深刻的思想家啊。赛林接着说，“我们家的保姆蛇皮圈太太，我跟你说过她的，她眼睛看不见，但她知道天空。她说所有的蛇，不管眼睛瞎不瞎，都管天空叫‘远边’，因为天空对蛇来说是那样遥远，简直遥远得没有尽头，所以她喜欢帮我们家干活——她觉得那里离‘远边’很近。”

“不，赛林，我认为这只小猫头鹰确实被完完全全地月光催眠了。她不知道这个词，对天空也没有任何概念。”

“真是太悲哀了。”赛林轻声说。

“确实很悲哀，但是你知道，这样我们的逃跑计划执行起来就容易多了。说不定监督员也被月光催眠了呢。不过，我想跟你说说我停在那个地方时发现的另一件事。”

“什么？”

“是这样，顺着一条小裂缝往下，我看见一个地方被一只看着眼熟的猫头鹰把守着。说实在的，我真不明白我怎么没有一眼就把他认出来。他是林伯，就是抓我的那只猫头鹰。我经常会想到他。你还记得我们飞往这里来的时候他说的话吗？他说犯不着花那么大工夫，然后抓你的那只猫头鹰提醒他说，如果让斯嘣听到他这样说话，他就要倒霉了。”

“记得。”赛林慢慢地说。他不明白吉菲为什么要提到这件事。

“是啊，于是我就猜想林伯也许没有被完全催眠，如果是那样就太好了。”

“慢着！你刚才说如果别人都被彻底催眠了的话，对我们很有帮助，这会儿你又说如果有人，比如林伯，没有被完全催眠，也对我们有帮助。”

“赛林，你难道不明白吗？林伯也许是我们的人。他说不定像我们一样假装被催眠了。说句实话，我几乎可以肯定他就是这样。”

“为什么？”

“因为我顺着那道小裂缝往下走的时候，我弄清了他在看守的是什么。”

“真的？”

“对。提问是违反规定的，要套出情报有多大的难度，你

知道吗？”

“哦，知道！”赛林说。

“有两次我差点儿提出了问题，林伯似乎感觉到了。”

“那你弄清了什么呢？”

“你听说过书吗？”

“当然听说过，”赛林恼怒地说，“书和谷仓猫头鹰都有很悠久的历史。”爸爸妈妈曾经拿出他们仅有的几本书，大声念给小猫头鹰们听，那时候他们经常会这么说。“特别是许多谷仓猫头鹰以前都生活在教堂里。我爸爸妈妈有一本赞美诗的书。”

“赞美诗？”吉菲果然被镇住了。“什么是赞美诗？”

“像歌一样，我想差不多吧。”赛林其实并没有听过几首。但是每次妈妈给他读赞美诗，他都觉得那些话不是说出来的，而是唱出来的。“可是书又怎么啦？你从林伯那里到底弄清了什么？”

“他看守的那个地方是个藏书的地方。他们管它叫藏书室。你听说过吗——藏书室？”

“没有。你是怎么弄清这一切的？你肯定没有提出问题。”

“当然没有。你知道，那里是禁止入内的。只有斯吭和斯嘣才能进去。我就凭这个才感觉到林伯是我们的人。他似乎没等我想出办法把问题提出来，就知道我想问什么了。我想进去。”

“为什么？我认为我们只需要离开这个鬼地方。”

“我想弄清楚微粒的事。”吉菲说。

“微粒？什么微粒？”

“就是我们整天歌唱的那种微粒——核心里的闪亮微粒，那些一级分拣员挑选的东西。”

“你疯了吗，吉菲？你想呆在这个鬼地方，直到熬成一个一级分拣员？”

“赛林，这里正在发生着比月光催眠小猫头鹰还要严重的事情。我感觉到了。非常恶劣的事情。可能会摧毁地球上所有猫头鹰的所有王国。”吉菲顿了顿，“要命的事情。”吉菲的话似乎悬挂在半空，她两眼一眨不眨地直视前方。

“这些小猫头鹰都变成了行尸走肉。我认为像47-2号那样的，活着还不如死了好，可是你说地球上所有猫头鹰的所有王国？”

“彻底毁灭。”吉菲说。她的声音冷得像冰一样。“你听我说，赛林。我和你一样盼着逃出去。我认为林伯可能会对我们有帮助，但是我们必须格外谨慎，那个装着书的藏书室里藏着秘密，我认为那些秘密能帮助我们逃跑，说不定还能帮助其他猫头鹰——你们提托王国的猫头鹰，还有我们昆里沙漠的猫头鹰。难道你愿意其他猫头鹰经历我们正在经历的这些吗？”

赛林突然想到了伊兰。他爱伊兰。想到伊兰被抓捕，被月光催眠，他真是感到无法忍受。外面有千千万万个伊兰。他真的愿意他们成为目光呆滞、声音空洞、注定不能飞行的猫头鹰吗？赛林全身打了个寒战。仅仅逃出去是不够的。实际上，他们的任务比他想象的还要重大。

一声尖叫划破了大场的黑夜。月亮升起来了，第一轮睡眠齐步走的警报声响起。赛林和吉菲感觉到几千只猫头鹰浩浩荡荡地开始走动。每一只猫头鹰都重复着自己原来的名字，四周响起一片奇怪的噪音。两只小猫头鹰对视了一下，动了动嘴巴，把他们的号码变成听上去类似名字的声音——什么都行，只要不是自己的名字。今夜，他们将要第一次尝试那个计划的第二部分。就是吉菲在“大缝”里测试过的那个计划。他们准备原地踏步，假装是在走动，但一直不离开阴影处。既然吉菲在“大缝”里这么做没问题，在这里也应该能行。

他们几乎立刻就感觉到周围猫头鹰的推挤。他们屏住呼吸，担心自己的计谋会被发现。但是浩浩荡荡的猫头鹰大军只是绕过他们，就像水流碰到一块石头时分成两股一样。他们被推推搡搡，一名睡姿监督员飞了过去，他们吓得心都凉了，但监督员并没有朝原地踏步的他们再看第二眼。是的，监督员似乎只注意前面那只小个子白雪猫头鹰，因为他上次把脑袋藏在翅膀底下睡觉被发现了。“85-2号翅膀戒备！第四象限的监督员请注意！”

12 月光照烤

在圣灵枭，白天和夜晚的节奏很奇怪，猫头鹰要在夜里睡觉，白天工作。月亮缩小了，世界变得黑暗，然后又到了月盈期。

在圣灵枭发生的并不都是可怕的事情。赛林和吉菲除了日常吃的蟋蟀，还能从芬姨和阿舅那里得到特殊的赏赐。真的，在石坑里的时光，就像圣灵枭猫头鹰孤儿院的石头世界里的一片绿洲，翠绿而诱人。吉菲得到额外的蛇肉，偶尔还能获准打个小盹儿，赛林的待遇也不错，芬姨甚至教他怎样连骨带肉地吃一只田鼠。这当然说不上是初骨仪式。但是芬姨递给赛林一块肥嘟嘟的田鼠肉，长度合适，他正好能把它囫囵吞下。虽然不允许提问，芬姨却能指导赛林学会吞噬他的第一只动物，连骨带肉全部吃下去。当赛林第一次吐出带骨头的小食团儿时，

芬姨把他大大夸奖了一番。不用说，赛林想起了昆郎的初骨仪式之后爸爸的表扬，感到既甜蜜又忧伤。

虽然有这些额外的赏赐、优待，还有芬姨温柔的溺爱，赛林却怎么也忘不了吉菲那冷冰冰的声音："彻底毁灭。地球上所有猫头鹰的所有王国。"为什么？赛林经常问自己，但他接着又意识到，如果这确实就是圣灵枭的意图，再问"为什么"就没有意义了。赛林新产生的 个想法更让他感到不安。他想，或许这些猫头鹰根本就不是真的，而是由某种邪恶的幽灵披上羽毛装扮而成的。因此，当芬姨带着赛林最喜欢的一只胖乎乎的蜈蚣来到他身边时，赛林凝视着芬姨黄色的眼睛，似乎想看到那个魔鬼古怪的黑影。芬姨，你真的是一只猫头鹰吗？赛林真想问她。你真的是一只正宗的白雪猫头鹰，是歌佬的后裔，来自北方王国吗？或者，你是一个白色的魔鬼？

现在是第二次满月的第三个夜晚。大月亮似乎要永远持续下去。赛林和吉菲经历这些阶段后都感到精疲力竭，但他们总算抵挡住了月光催眠。他们对付睡眠齐步走的策略成功了。

直到这第二次满月的第三个夜晚。

"右，左。右，左。"他们站在那道拱门下面，跟着充满两个大场的节奏敲打自己的爪子。

"喂，你们俩！"一声啸叫划破他们周围的空气，钻进了齐步走的队伍。不是杰特，也不是加特，而是斯嘣——斯吭的那个可怕的副官。"我上一轮就看见你们俩在这儿，这一轮又看见了。败类，没出息的懒骨头！”在这只啸叫猫头鹰的黄眼睛的凶狠瞪视下，赛林和吉菲吓得浑身发抖。“我看出来了，躲避月光！没关系，我们有药可以治。”

哦，完了，赛林想。我又要被拔毛了！还有吉菲。她肯定挺不过来。“快走，你们俩，走到月光底下去！”

“什么也别说，”吉菲轻声道，“我们俩在一起，这就很重要。”重要什么？赛林不明白。可以被一起拔毛？一起死去？

两只小猫头鹰被逼着走进一个大场一侧的一个石头房间。这个房间的墙是用纯白色的石头砌的，以古怪的角度往外倾斜。月光照进这间纯白色的石头牢房，再从墙壁反射出来，明晃晃地耀眼。“你们俩呆在这里被月光烤着，一直呆到月亮消失。尝尝这滋味怎么样！”为了强调他话里的力量，斯嘣发出一声凶恶的啸叫，这叫声像狂风一样有力，差点儿把小个子精灵猫头鹰撞倒在地。

“不许低头！我们监视着呢。”斯吭又说。

吉菲总算稳住身子，两只小小的爪子牢牢地站在石头上。“好吧，”她说，“至少我们没有被拔毛。”

“吉菲，你疯了吗？”

“赛林，在这样的情况下，你必须看到光明的一面——这不是双关语。”吉菲环顾四周，看见每一处墙面都跳动着月光。

“吉菲，我认为根本就没有光明的一面——不管是不是双关语。不是被拔毛就是被月光烤？你认为那是一种选择？”

“我们不会被拔毛也不会被月光烤！”吉菲声音里出现了一种以前没有过的强硬。

“哦，那你说我们怎么能避免呢？你可以站在我的影子里，但我站在你的影子里恐怕行不通——你个子太矮小了。”

“这不公平，赛林，你知道。不应该拿别人的身材来取笑。我们那里认为这是很不好的行为。真的，我们有一个协会，叫‘小个子猫头鹰协会’——SOS①——它的宗旨就是阻止拿别人的身材来开恶意和无聊的玩笑。是我奶奶和一只矮种猫头鹰发起成立的。”吉菲气得要命。对于赛林使用“矮小”一词，她似乎比被困在白色石头房间里接受月光照烤还要难过得多。

“对不起。但我还是不明白我们在这里怎么避开月光。”

“必须动脑子想办法。”

“可是，吉菲，当你被月光催眠的时候，你是根本没法动脑子的。”赛林低头望着吉菲，就在他说这番话的时候，他已经感觉到一种奇怪的麻木感偷偷朝他袭来。吉菲的眼睛也开始以一种古怪的方式眨巴着。

在强烈的月光照射下，两只小猫头鹰感到他们的精魂一点点消失。赛林的脑子开始晕乎乎地打转。他的砂囊似乎静止不动了。他看着石头牢房里那些反射月光的墙壁，觉得它们滑溜溜的，像冰面一样滑溜溜的，而就在这月光形成的冰面上，他感到自己的记忆一点一点地溜走了。他想用爪子抓住它们、留住它们，然而他浑身一

---

① “小个子猫头鹰协会”的英文是“Small Owl Society”，首字母缩写是“SOS”。

点力气也没有。他就要睡过去了，他知道当他醒来的时候，他就会变成另一只猫头鹰，连他自己都认不出来了。他就会真的变成 12-1 号，吉菲也不再是吉菲了，而是一个号码，25-2 号——跟珈瑚押韵[①]！

赛林脑子里“咔嗒”一响。就在他想起珈瑚这个词的时候，头脑似乎一下子清醒了。他的砂囊也有了反应。珈瑚——上次一提到珈瑚传奇，芬妮芬姨就昏了过去，现在一想起这个词，就像晴空霹雳一样，把赛林一下子震醒了。

“吉菲！吉菲！”他用一只爪子推了推小个子猫头鹰，“吉菲，你听说过珈瑚传奇吗？”吉菲的动作似乎已变得缓慢迟钝，这时突然抽搐了一下。赛林几乎能看到一阵悸动掠过小个子猫头鹰全身，使她立刻警醒过来。

“珈瑚——啊，听说过的。爸爸妈妈经常给我们讲故事。我们管它们叫‘远古传说’。”

“我们管它们叫传奇——珈瑚传奇。”每提一遍这个词，两只小猫头鹰似乎都变得更加警醒一点，他们体内的某个东西活跃起来了。

“我认为，”赛林说，“我们应该讲那些远古传说，一直讲到月亮消失，这些词也许会减弱大月亮的照射，使我们抵挡住

---

① “25-2 号”读起来的韵脚是“two”，跟“珈瑚”——“Ga’Hoole”的韵脚一样。

月光照烤。”

吉菲惊异地看着赛林。这只谷仓猫头鹰怎么会产生这些想法的？

于是，赛林开始讲了起来……

“很久很久以前，还没有猫头鹰王国，那个时候连年战乱，辽阔北方水域的乡村里诞生了一只猫头鹰，他的名字叫珈瑚。据说他在孵出来的时候中了一种魔法，天生就拥有超常的力量。而这只猫头鹰最了不起的，是他激励其他猫头鹰去做高尚的事情，虽然他并没有金子做的王冠，但猫头鹰们都知道他是一位国王，因为他的良心和仁慈给他冠名，他的精神就是他的王冠。他是在一个树木参天的树林里孵出来的，当时，旧年的最后几秒钟放慢脚步，融入新年最初的时光，周围晶光闪烁，在这样一个夜晚，森林里覆盖着冰雪……”

赛林压低声音，用动听的语调，讲述着珈瑚传奇的第一个故事——“珈瑚出世”。两只小猫头鹰的心一下变得强健，大脑变得清晰，他们的砂囊再一次活跃起来。

13 完成了！

"我认为起作用了。"斯嘣对阿巴拉将军斯吭说。斯吭和斯嘣站在月光照烤牢房高处的石头上，看着下面的赛林和吉菲。他们听不见赛林压低声音讲述的故事，而且两个小猫头鹰尽量让自己一动不动地站着。当月亮终于从夜空中滑落时，斯吭和斯嘣落到月光照烤牢房的地面，望着每只猫头鹰的眼睛。

"完成了！"斯嘣宣布道。

"我们完成了，"吉菲回答，"我们很高兴主人认为我们完成了。25-2 号感到完完全全地完成了。"

赛林心领神会："12-1 号也感到完成了。我们听候你们的吩咐。"

"来吧，小家伙。我知道你们能办到。"斯嘣说。赛林和吉菲从没听见过斯嘣用这么温和的语气说话。

“接下来的一件事，就是举行你们的特点仪式。”

熊屎！吉菲想。

“知道吗，斯嘣，”斯吭说话了，“这两只猫头鹰从一开始就是出了名的犟种，至少那只谷仓猫头鹰是这样，有时候我认为，犟种被照烤之后，会比别人更忠心耿耿地为我们的事业效忠。”

做梦去吧，你这个满脑子浆糊的白痴怪鸟。赛林脑海里默默地涌动着这些话。

“我在想，让这个小个子去搞战爪维修，让谷仓猫头鹰去拣蛋场。”

“或者让小个子去孵蛋场。”

孵蛋！拣蛋场！战爪！赛林和吉菲突然变得很警觉。但他们还是尽量迷迷瞪瞪地往前走，假装成被完全催眠的样子。

“你知道吗，”斯吭继续说，“我认为我们需要把他俩放在同一个石坑和同一个大场——以加强月光照烤。让他们互相注视对方的眼睛，事实证明这样做会强化月光照烤的效果。”

哈！吉菲差点儿放声大笑起来。

于是，两只小猫头鹰回到了赛林的大场，杰特和加特及时得到通知，要让这两只猫头鹰呆在一起，并定期让他们互相注视对方的眼睛。

“好吧，你们两个！”加特吼道，“把脸转过去！”

杰特和加特都没有看见两只小猫头鹰眼睛里的亮光，也没有听见他们转过身去时赛林说道，“我们成功了，吉菲。我们成功了。”

又是时光日夜交替，夜晚变成了月亮银色链条上的黑色环扣，月亮在阴晴圆缺之间循环往复，有时候看上去像一个饱满、跳动、明亮的圆盘，有时又是那么纤细，像猫头鹰胸脯上最细最细的羽绒细丝。他们耐心地等待着自己的拨风羽长出来。每天，赛林都要快速检查一下羽毛的长势。他的拨风羽毫无疑问正在长出来，虽然还不够丰满，但确实是出现了。当他把脑袋仰到颈后——猫头鹰就有这本事——转动一下，就能清清楚楚地看见他的尾羽，在没有人看见的时候，他会练习旋转和转舵的动作。这里肯定不会有初飞仪式的。实际上，赛林时时刻刻都担心他们用粗鲁的方式宣布他“命中注定”不能飞，就像 12-8 号——原名红藤的那只斑点猫头鹰一样。红藤总是说“不能飞”是因为她的绝密身份，而这身份与做一只抱窝员有关。

“想想我们了解到了多少东西啊，赛林。”一天吉菲在战爪车间工作完之后说道。她似乎充满信心，认为一旦时机成熟，他们肯定能够飞走，并认为他们有必要把构成整个圣灵枭的所有沟沟壑壑都观察清楚，这样等他们做好准备的时候，就能顺利逃跑，不再被抓回来，并且还能警告其他猫头鹰。“我要告诉你我今天在战爪车间里了解到了什么……”

赛林让吉菲由着性子往下说。“是这样，”吉菲说道，“他们有适合自己脚形的战爪，但并不是自己做的。实际上那些战爪是他们从别的地方，别的战场上捡来的，他们只是修修补补。”

“什么别的战场呀？吉菲，我虽然在提托生活的时间不长，

但我从来没看见或听我爸爸妈妈说过什么打仗的事儿。你听你爸爸妈妈说过吗？”

吉菲仔细想了想：“没有，没听说过。”她慢慢地说，“可是当我们被抓捕的时候，那些猫头鹰并没有戴着战爪。”

“对付我们用不着战爪。我们都是雏鸟。我们的爪子还没有变硬呢。”赛林朝吉菲眨眨眼睛，就好像他说了什么令人震惊的话似的。吉菲沉默了一会儿。

“这就对了，是不是，赛林？他们对付我们用不着战爪。对，他们需要我们和这些战爪是为了对付更厉害的东西……比我们厉害得多的东西。你还记得在珈瑚帮的第三个故事里，那些既能在地上走又能在海里游的海蛇开始酝酿他们的计划吗？还记得他们想把全世界的猫头鹰和其他鸟类都拖进海里，这样他们就能同时统治陆地和海洋吗？”

“记得。”赛林轻声说。

“我认为他们也在策划那么大规模的事情。”

赛林想说海蛇的故事只是一个传说，不是真事，世界上并不存在这样的海底生物。接着，他内心深处意识到这其实并不重要。这些猫头鹰确实存在，想象中的传奇动物需要什么，他们也会需要什么。赛林脑海中出现了一个恐怖的画面：整个提托森林王国和昆里沙漠王国，以及所有其他猫头鹰王国都被卷入到这个圣灵枭的石头世界里。

“所以，”吉菲继续说，“赛林，当我们真的能逃跑的时候，我们必须尽量多知道一些事情。我们必须知道微粒是什么东西，它们为什么比金子还要贵重，还有这些家伙打算怎么对付猫头鹰王国。我们有责任向王国里的其他猫头鹰发出警告。现在别为飞行的事操心了。想想我们能了解到多少东西吧。你看，我们已经把小食团儿场的每个细节都摸透了，现在是战爪。我们需要突破的——想想这个双关语吧——是拣蛋场和那个抱窝的地方。”

“别忘了，那可是绝密。”

“就好像12-8号会让我们忘记似的。哦，天哪，她又来了。沉住气，赛林，我准备试试我的一些魅力。”吉菲眨眨眼睛，那种被月光催眠后的呆滞目光便在她双眼中弥漫开来。

赛林注视着吉菲装出被完全催眠的样子，快步朝红藤跑去。“12-8号，你完美地履行了你的职责，显得平静而满足。我相信很快就会举行你的特点仪式了。”

“我不需要仪式就感到很特别了。你也看到了，25-2号，我受到信任，要为我们敬爱的圣灵枭完成最神圣、最重要的任务。”

“是啊，肯定是这样。我和12-1号如果得到这样的重任，也会感到非常光荣的。可是，我们不具备12-8号你那样的资格和天分啊。啊，能得到这样的信任真了不起啊。”

12-8号得意非凡，他们的眼睛膨胀起来。一名石坑监督员突然俯冲下来。“保持低调，注意谦卑，亲爱的。”这是一只带胡须的小个子啸叫猫头鹰。在羽毛粗硬的脸上，琥珀色的眼

睛里射出警告的光。12-8 号似乎一下子缩成了一半。“哦，对不起。我是为我的工作感到骄傲，不是为我自己。我永远是一项伟大事业的谦卑的奴仆。”

“是的，一项伟大事业。”吉菲把这句话重复了一遍，好像是在说一个肯定句，但赛林听出它实际上提出了疑问。这项伟大事业是什么？

“嗯，这还差不多，亲爱的。”带胡须的啸叫猫头鹰点点头，飞到石坑的高处去了。

吉菲觉得时机合适了。“12-8 号，在我看来，全世界的猫头鹰里，最不缺少谦卑的就是你了。你为我和我的朋友树立了一个完美的谦卑的榜样。你不只是低调！你……”吉菲拼命地搜肠刮肚。她接下来要说什么？赛林想象不出来。他从没见过这样露骨的溜须拍马。“你简直是百谦百顺。”听了这话，12-8 号和赛林一样眨眨眼睛，赛林不明白“百谦百顺”是什么意思。“我和我的朋友只希望能够在拣蛋场效力，然后也能做到像你这样的低调。”

“你的话很友善，25-2 号。我希望他们会鼓励我在为伟大事业服务的过程中，继续追求谦卑。”她飘飘悠悠地走开了，看上去催眠的程度比刚才更严重了一点——如果可能的话。

“看在老天的份上，百谦百顺是什么意思啊？”她刚走开，赛林就问道。

“不知道，我瞎编的。我们必须想办法进入那个拣蛋场和孵蛋场。”吉菲回答，眼睛里又恢复了光亮。

14 拣蛋场

第二天，赛林回到小食团儿场里他的岗位上。他竟然已经被晋升为二级分拣员，他惊愕地发现，自己正对着一只新来的小猫头鹰，说着他刚来时 47-2 号猫头鹰对他说的一模一样的话。“我是 12-1 号，我是你在小食团儿场的向导。跟我来。”他也用那种奇怪的方式说话。他似乎自然而然就发出了那种空洞的、短促轻快的声音。所以，当吉菲端着一托盘新的小食团儿过来时，他迫不及待地想听到她提出调换工作岗位的建议。

“拣蛋场。我好像已经替我们俩找到了一个入门的岗位——拣蛋。小食团儿仓库的人跟我说的。孵蛋场有微生菌。”

“那又是什么意思？”赛林问。

“我也闹不清。我只知道他们不得不把拣蛋场的猫头鹰调

离岗位，安排到孵蛋场去。”

“我还是不明白他们在这两个地方到底做什么。还有，那些一级分拣员拣出的微粒是什么玩意儿呢？这简直就像一个谜，似乎永远也解不出来。就好像我们已经拿到了所有的碎片，但还是弄不明白这地方是怎么回事，弄不明白我们怎么才能逃出去，也不清楚我们是不是能学会飞。”赛林说着说着，口气越来越烦躁。

“尽量保持平静，赛林。我有一种感觉，我们很快就能搞清楚一些事情了。”

赛林和吉菲站在一间小小的前厅。一只很大的白雪猫头鹰栖在他们头顶上方。

“欢迎来到拣蛋场！”白雪猫头鹰发出低沉的鸣叫声，“在拣蛋场和孵蛋场工作是无比高尚的荣誉。你们会得到临时的绝密许可证。这些日子我们陷入了困境，因为微生菌开始流行。所以，你们不会得到 DNF——也就是命中注定不能飞的地位，但你们在工作结束时必须接受一个程序，虽然并不痛苦，却能使你们忘记你们在这里接触到的情报。”

“肯定是月光照烤！”吉菲轻声说，“但是我们知道怎么对付它。”

“没错。”赛林听说不会被授予 DNF，大大松了口气。

“现在进入拣蛋场。请跟我来。”白雪猫头鹰轻轻鸣叫着说。

所有猫头鹰同时发出一声惊呼。即使是一只被月光完全催眠的猫头鹰，看到周围的景象，也忍不住会感到震撼。成千上万只蛋正在被分拣，各种大大小小的蛋，都是纯白色的，在月光下闪闪发亮。他们一边分拣，一边唱着一首歌。

我们多么珍视这些宝蛋，
我们分拣，越多越好。
矮种，精灵，斑点和白雪
使我们的砂囊热得发烧。
谷仓，大灰，条纹和啸叫
使我们的心脏怦怦狂跳。

这项工作属于绝密，
而我们是最优秀的——拣蛋大军！
不要因为不能飞而哀叫，
未来就藏在这些蛋里。
这就是我们崇高的使命
永远守卫圣灵枭的永恒！

指示很简单。第一阶段，他们分别寻找自己种类的蛋，因为这样最容易辨别。也就是说，赛林挑选谷仓猫头鹰的蛋，吉菲挑选精灵猫头鹰的蛋。他们把这些蛋滚进一个指定的区域。然后一些较大的、更有经验的猫头鹰再从那里把蛋运到孵蛋场。

赛林简直惊呆了。这就是他无意中听到爸爸妈妈谈论的事

——偷蛋！“无法形容！”这是妈妈当时使用的词。无法形容。而此刻现实就摆在他的眼前，他开始颤抖。砂囊里有一种恶心的感觉。

“别栽到我身上。”吉菲轻声说。

“我怎么可能栽？我还不会飞呢。”

每只猫头鹰和其他鸟类都知道，“栽”的意思是说翅膀似乎缠在了一起，也就是一只鸟失去本能，不再会飞，突然一头栽到地上。

这工作虽然令人厌恶，倒是很简单。然而，赛林每拣到一只谷仓猫头鹰的蛋，都会猜想它来自提托的什么地方。他的爸爸妈妈认识这只猫头鹰蛋的爸爸妈妈吗？幸好，谷仓猫头鹰蛋的岗位和精灵猫头鹰蛋的岗位离得不远。所以，当赛林和吉菲来到各自的岗位上，拣着各自的蛋时，可以偶尔交谈几句。“我没有看见12-8号的红藤。”赛林说。

“她不在这儿。她在孵蛋场。那些抱窝鸟都在那儿——坐在蛋上。我们也要想办法去那儿。”

“你打算怎么做？”赛林问。

“不知道，我会想办法的。”吉菲说。

就在快要下班时，吉菲想出了办法。

“你！”

“我怎么啦？”赛林问。

“你是一个理想的抱窝鸟。”

“什么？我是抱窝鸟？你脑子没有坏掉吧？我是一只公猫头鹰。公猫头鹰是不孵蛋的。”

“他们有时候也会孵蛋——在特别寒冷的气候里。”

“对啊，这里的气候并不是特别寒冷。你为什么不去？”

“他们现在不需要精灵猫头鹰，但需要谷仓猫头鹰。我听见他们说的，而且，那上面有许多公猫头鹰在孵蛋呢。”

“你说的‘那上面’是什么意思？什么的上面？”

“就在那上面，赛林。我认为那里比藏书室还要高……我认为那里离天空很近。我认为……”吉菲停住话头，为了产生戏剧性的效果，“我们可以从那上面飞走。”

赛林感到自己的砂囊颤动了一下：“我去！”

“好样的！”吉菲友好地打了赛林一巴掌，虽然她个头那么矮，勉强只能够到赛林的翅膀。这看上去是一个很男子气的举动，她是想让赛林放心，他虽然要去做一只抱窝鸟，但仍然是一只很硬气的小猫头鹰。“我自己打算晋升为一名苔藓照管员。”

15 孵蛋场

这是赛林做这份工作的第二个夜晚。事实上，他是跟另外三个谷仓猫头鹰一起值班，其中一个也是公的。值夜班的时候，他就用不着到大场报到。事情并不像他原先想的那样令人感到羞辱。食物源源不断地送来。抱窝鸟的待遇相当不错。总是有猫头鹰在旁边走动，嘴里咕咕地叫着，“多么诱人的胖蚯蚓啊，刚从提托运来的，一块蛇肉，一只田鼠，一只红松鼠。”没错，孵蛋场的伙食确实是很好的。吉菲果然想办法当上了一名苔藓照管员。如果他们的班次碰上了，就有足够的时间可以说话，吉菲会特意跑到赛林窝里来送苔藓和绒毛。赛林的窝里有四个蛋，显得有点拥挤。他记得谷仓猫头鹰的窝里一般只有两三个蛋。可是，他又知道什么呢？在这第二个夜晚，正当他开始感到这工作还不算太糟糕的时候，旁边窝里的那只谷仓猫头鹰用被月光催眠后的空洞声音说话了：“裂蛋警报！裂蛋警报！看见卵齿。”

两只条纹猫头鹰匆匆赶了过来。赛林感到他的砂囊兴奋地隐隐作痛。他把身子探出窝外去看。那只蛋正在发出他所熟悉的那种振颤——当初伊兰的蛋也是这样，而如今想起来恍若隔世。但是似乎谁也不感到兴奋。没有谁喜悦地抽一口冷气，说，“来了！来了！”

那只蛋剧烈摇晃起来。赛林可以看见那个小洞，白生生、亮闪闪的卵齿伸了出来。

“好了，”第一个条纹猫头鹰用冷冷的声音说，“用不着那个卵齿了。我们把它砸开。”说着，两只条纹猫头鹰用爪子狠狠敲了几下。蛋裂开了。然后一只条纹猫头鹰用爪子勾住那个黏乎乎的白色小球，用力把它拖出来，另一只猫头鹰把蛋壳翻转过来。“底朝上！”猫头鹰干脆利落地说，把新孵出的雏鸟扔在了地上。

赛林惊愕极了，简直连气都喘不过来了。没有人惊呼“是个小丫头！”没有人说“太可爱了”或“真迷人”。什么话也没有，只有一个数字：“401-2 号”。

另一只条纹猫头鹰点了点头。“这么说，现在我们的谷仓猫头鹰已经超过四百了。”

“是啊，多么大的成就。”那只给小雏鸟儿编号码的猫头鹰叹着气说。赛林觉得非常气愤。成就！这是他目睹的最可怕、最无耻的事情。一阵寒意从他的砂囊开始，传到他新长出

的尾羽，传到翅尖，传到爪子，传遍他的全身。他意识到，他宁愿看到这只小猫头鹰死去，也不愿看到他活在圣灵枭。他们必须逃出去。他和吉菲必须逃出去。他们必须学会飞。吉菲在哪儿呢？她也在这个班次。他希望她能过来看到这一幕。他伸直脑袋东张西望，却没有看到小个子精灵猫头鹰的身影。

这是这个没有月亮的夜晚最寂静的时分，破晓的时候，吉菲走进了岩石的一道大裂缝里，那里正适合一只精灵猫头鹰躲藏。她在注视红藤。红藤显示出自己是一只能力非凡的抱窝鸟，因此她的窝很大，在一块突出的大石头上，跟别的窝不在一起，那里地方更宽敞。她技术已经非常熟练，身子底下同时孵着好几个蛋。吉菲这片区域的苔藓照管员正在换岗，这会儿不会有谁过来。

对于这只斑点猫头鹰的年龄来说，她的个头确实挺大的，这会儿她正在做一件很奇怪的事。她竟然走到了她的窝边，吉菲简直以为她要把一只蛋从窝里扔出去。吉菲使劲把眼睛眨了又眨。吉菲看见12-8号轻轻地把蛋滚到那块突出的大石头的边缘。然后，从这个没有月亮的夜晚的黑暗中，突然出现了一道耀眼的白光——就像一轮小小的月亮滑过黑暗，一轮小小的、带羽毛的月亮！吉菲吃惊地睁大了眼睛。这是一只秃鹰的脑袋。她曾经在沙漠里看见过秃鹰。这只秃鹰很大，翅膀展开来简直铺天盖地。它落在那块石头上，默默地用爪子捡起那只蛋。双方没有交换一句话。是的，吉菲只听到夜色中传来一声低低的叹息，12-8号又爬回到她的窝里。

到了天亮下班的时候，吉菲和赛林终于见面了。他们俩都迫不及待地想要讲述自己的经历，开始为谁先讲而争吵起来。最后，吉菲压低声音说出她的新闻。“12-8 号！她是个卧底！”

“什么？”赛林惊呆了。他诧异地张大了嘴巴。跟这个新闻比起来，那个恐怖的孵蛋故事就是小巫见大巫了。

“是个奸细。”吉菲用低沉的声音说。

“等等。我们说的是同一只猫头鹰吗？是红藤？是 12-8 号？”

“她绝对是 12-8 号，就像我是 25-2 号，你是——你是多少号来着？我总是记不住。”

“12-1 号。”赛林含混地说，“嘘，她来了。”

红藤走过来，停住了脚步。“12-1 号，我听说你做孵蛋鸟做得很出色。这是一桩最有意义的工作。我孵的每一只小蛋都使我以最谦卑的方式感到满足。”

“谢谢你，12-8 号。”赛林呆呆地回答。接着斑点猫头鹰又转向吉菲。“我听说你是一位非常优秀的苔藓照管员。你也会得到晋升，成为一只孵蛋鸟的。我相信你会在这项工作中找到充分的成就感。”

吉菲默默地点点头。

她真会演戏！

接下来的两个夜晚，赛林和吉菲为他们如何面对红藤发生了争论。

“我认为我们应该趁没有别人的时候走到她面前，”吉菲说，“然后说，‘红藤，我们已经注意到……’”

“你说‘已经注意到’是什么意思？说明你在监视她，吉菲。‘已经注意到’这类的话恐怕会让她感到紧张。她可能会以为许多猫头鹰都看见她做的事了。”

“你说得对。”

“我们为什么要去面对她呢？”

“为什么？如果她是这里的什么组织的一部分呢？如果圣灵枭有二十个红藤呢？如果这里有一个秘密组织，是由……是由心怀不满、没被催眠的猫头鹰组成的呢？说不定他们在策划一场革命呢。”

“革命是什么？”赛林问，吉菲眨眨眼睛。

“革命就像战争，但双方并不完全平等。革命就像小人物起来反抗大坏蛋。”吉菲说。

“噢。”赛林说。

“你听我说，”吉菲说，“我们必须跟红藤成为朋友，成为真正的朋友。她的窝位于圣灵枭最高的地方。我们到时候就从那里逃走。”吉菲顿了顿，一直走到赛林的嘴巴底下。“低头看看我，赛林！”

“怎么啦？”

“赛林，我们必须学会飞。现在就学！”

16 红藤的故事

但是他们必须先跟红藤谈谈。当然啦，问题不仅仅是挑选合适的时机，还要选择合适的话。时机很容易找到。第二天晚上，赛林和吉菲终于把他们的时间调成一致，赛林抱窝休息的时候，吉菲还在值班照管苔藓。赛林提出要求，他想帮助朋友一起送苔藓，孵蛋场和拣蛋场里的人手仍然不够，所以他的要求得到了批准。于是，两只猫头鹰就朝远处那块高高突出来的石头走去，这天晚上红藤就在那里的一个大鸟窝里，身子底下至少孵着八个蛋。

"唷！"赛林叹着气说，"真够高的。"

"没什么，"吉菲蹦蹦跳跳地往前走，"你会习惯的。好了，你知道步骤，你先开始吧。"

开场白——或开场语是赛林想起来的。其实就是一个名

字："红藤"，很简单。

他们此刻正朝那块石头顶部走去。风刮得很大。是的，自从来到圣灵枭后，这是赛林第一次感觉风。泛着银色的乌云在天空飘浮。这才是猫头鹰应该呆的地方——很高很高，跟风、天空和黑夜里闪烁的星星在一起。他感到心情振奋、信心倍增。

"欢迎 25-2 号和 12-1 号光临寒舍！"

赛林把嘴里叼的苔藓扔到窝里，红藤开始把它们塞进一道道豁口和缝隙。"红藤！"赛林大喊一声。

红藤抬起头，朝他眨眨眼。她那双黄色的眼睛里透着被月光催眠后的呆滞。

"红藤，这不是寒舍，这是猫头鹰应该呆的地方——这么高，靠近风，靠近天空，靠近黑夜的心跳。"真了不起，吉菲想。赛林大概并不知道"革命"这个词，可是他的话多有煽动性啊。"红藤，你是一只猫头鹰，一只斑点猫头鹰。"

"我是 12-8 号。"

"不，不是的，红藤。"赛林说，下面轮到吉菲说话了。

"红藤，别再假装了。你是红藤，我看见你的表现不是 12-8 号，而是红藤，是那只勇敢而富有想象力的斑点猫头鹰。我看见你把这窝里的一个蛋交给了一只秃鹰。"

听了这话，红藤又眨眨眼睛，眼睛里的呆滞消失了，就像迷雾在阳光下消散一样。"你看见了？"

"我看见了，红藤，"吉菲温和地说，"你跟我们一样，都没有被月光催眠。”

“我早就怀疑你们两个了。”红藤轻声说。她眼睛里的敌意似乎缓和了。赛林甚至觉得他从没在猫头鹰脸上看到过这么漂亮的眼睛。深邃的褐色，就像赛林在大枞树的窝里看见的密林深处沉寂的水洼。但是这双眼睛里还闪烁着光芒。红藤的脑袋顶上有白色的星星点点，她全身似乎都布满琥珀色和褐色的斑点，还有一些白斑如同天空中朦胧的星星。

“我们从来没有怀疑过你，”赛林赶紧接上去说，“直到那天晚上吉菲看见了你。”

“这里还有其他猫头鹰没有被催眠吗？”吉菲问。

“恐怕只有我们三个。”

“你是怎么来这里的？你是怎么抵挡住月光催眠的？”

“怎么来的，说来话长。怎么抵挡月光催眠，我也说不清。知道吗，我原来住的地方有一条河，他们现在从小食团儿里找的那种微粒，在那条河里含量很大。”

“那些微粒是什么？”

“我也不能肯定。这种东西可以在岩石、土壤和水里找到。似乎到处都会有，但在安巴拉王国我们那片地区储藏特别丰富，江河湖泊里都有。这是一件喜忧参半的事。我们有些猫头鹰因为这些微粒而具有超凡的力量，但是对于另一些猫头鹰来说，这种东西搞乱了他们的导航能力，使他们辨不清正确的飞行路线。我有一个奶奶，她最后完全失去了理智，但在这之前

她孵出了我父亲，我父亲能够透视岩石。”

“什么？不可能！”

“没错，是真的，但我哥哥幼年就双目失明了。所以谁也说不准微粒会对自己产生什么影响。我猜想对我来说，它使我能够抵挡住月光催眠。但这并不能解释我是怎么来这里的。这不是一次意外事故。我是自己选择上这儿来的。”

“你自己选择上这儿来？”吉菲和赛林都大吃一惊。

“我跟你们说过，这件事说来话长。”

“我们现在正休息呢。”赛林说。

“他们现在监督员人手不够，不会有人发现我不在的。”吉菲也说。

“好吧，首先，我的年纪比我看上去的样子大得多。我已经是一只成年猫头鹰了。”

“什么？！”赛林和吉菲完全不敢相信地说。

“是这样，我是差不多四年前孵出来的。”

“四年前！”赛林说。

“是啊，没错，但恐怕是微粒对我产生的影响吧，我个子一直长不大，一直像雏鸟一样矮小，再也没有长大一点点。我的羽毛也迟迟不长出来，当然啦，我自己也故意推迟它们的生长。”说到这里，红藤把嘴伸进窝里，叼出一根漂亮的褐色和白色相间的斑点猫头鹰的羽毛。

“是换毛掉下来的吗？”赛林问。他换过一次毛，脱掉了出生时身上的绒毛。当时还举行过一个初次换毛仪式，妈妈把那些宝宝绒羽专门收藏在了一个地方。

“不，不是换毛，是我自己拔下来的。”

“你自己拔的？”赛林和吉菲惊恐地抽了口冷气。

“是啊，”红藤笑了，斑点猫头鹰笑起来的“啾啾”声真是好听极了，被月光催眠的猫头鹰是绝对发不出来的。“我是一只，”她眼睛闪闪发亮地说，“注定不能飞的猫头鹰。”

“注定不能飞？”赛林轻声说。

“是的，因为我的那份绝密的工作，同时也因为我的羽毛迟迟不长。所以我天生注定。”

“天生注定什么？”吉菲问。

“天生注定要来这里，弄清这里发生的事情。要知道，在安巴拉森林里，圣灵枭巡逻队给我们带来的损失越来越惨重。我们丢失的雏鸟和蛋数目惊人。必须采取一些措施。这当然就意味着做出牺牲。我们最勇敢的一只猫头鹰跟踪圣灵枭的一支巡逻队，发现了他们驻扎在这一片石头峡谷的迷宫里。这只猫头鹰名叫塞德里克，为了能够跟踪他们，他贡献出了他和妻子窝里的一只蛋。

“我也自愿参加这件事情。我估计我这辈子不太可能过一种正常的生活了，因为我的羽毛发育迟缓，虽然最后好不容易长出来了，却似乎不太管用。没有力量，没有高度，减速功能很不稳定。我只能飞很短一点距离。谁会愿意娶我呢？我怎么可能当一个好母亲呢？不会捕食，也不会教我的宝宝学飞？怎么说呢？我似乎命中注定就是那种古怪的单身猫头鹰，靠着亲戚的施舍，在爬满蛆虫和蚯蚓的底层树洞里勉强度日。我不愿意成为那样一只可怜巴巴、受人怜悯的猫头鹰，让别人逼着家里的小猫头鹰来看望我。我认为这样一种生活是我的性格所不能容忍的，既然我不能像一只正常的猫头鹰那样活着，那我就要利用我的缺陷为一项崇高的事业服务。于是，我选择到圣灵枭来，尽我的一切力量阻止他们争夺权势、控制猫头鹰王国的企图。这就是他们的狼子野心。你们也发现了，是不是？”

赛林和吉菲默默地点点头。

“蛋是其中一部分。我在这里尽我的力量。我来这里以后，已经抢救了二十多只蛋。安巴拉的猫头鹰跟那些大秃鹰一起合作。这是最安全的做法。秃鹰可以非常轻松地接近这个地方。岩石缝隙是许多秃鹰天然的栖身之处。所以他们熟悉这片地方。秃鹰是足以让这些猫头鹰闻风丧胆的一种鸟。斯吭翅膀上的那道伤疤——就是一只秃鹰爪子留下的杰作。”

“可是，你不能长途飞行，又是怎么来到这里的呢？”赛林问。

“低起点。”红藤回答。

“低起点？”吉菲和赛林异口同声地问。

“高目标、低起点。是这样，我等待某一个阴云密布的日子。我把身上的毛拔掉，让自己变成雏鸟的状态。”赛林打了个哆嗦，“两只巨大的、完全跟乌云融为一体的白雪猫头鹰，叼着我飞到圣灵枭峡谷入口处的石头上。那里有一片小树林，树下有许多苔藓。这些鸟窝里使用的苔藓就是从那里来的。现在那里没有猫头鹰居住了，但是在那个阴云密布的日子，他们就把我扔在了那里。”

“你说你救了二十只蛋？”

“是的，没错。如今在安巴拉，人们都在讲述我的故事。我本是一个没有故事的人，现在却成了故事里的英雄。”红藤说话再也不假装谦卑了。

“可是，红藤，”赛林说，“你的生活肯定不仅仅是这些。你不能一辈子留在这里。”

“秃鹰答应要来接我。但我总是说，‘哦，再救出十几只吧。’我对自己做的事情已经很着迷了。”

“但是有风险啊。”吉菲说。

“任何值得做的事情都是有风险的。”红藤顿了顿，“相信我，这是值得做的事情。”

“我们想从这里逃出去。你不跟我们一起走吗？”赛林说。

“我怎么可能？我不会飞。对了，你们也不会飞呀。”

“但是我们正在学。”赛林坚决地说。

“很好。”红藤轻声说，她的声音微微发颤，使赛林和吉菲都感到心里发毛。接着，红藤大概意识到把他们给吓着了，就用欢快的语调说，“哦，别担心了。我相信你们能学会的。只要有翅膀，就有出路！来，让我看看你们的翅膀。”

吉菲和赛林都展开翅膀让红藤检查。“真可爱，真可爱，”红藤柔声说，“覆羽长得很好，赛林。初级飞羽之间有一道道

漂亮的细缝，这对控制减速是非常重要的，特别是在天气恶劣的情况下。你们俩的羽支还很软，但是会硬起来的。我相信你们俩都会成为出色的飞行能手。”

“那些秃鹰来的时候，我们能不能有机会看见？”赛林问。

“嗯……他们总是在拂晓前飞进来。”

“我要求连续加班，就能上这儿来了，”吉菲立刻说道，“赛林，到时候你给自己安排一次工间休息。”

17 救蛋要紧

“报告，32-9号前来抱窝。”一只特别大的谷仓猫头鹰站在窝边。赛林爬下来，出发去找吉菲。他在碎石小路上遇到了吉菲，这条小路通向上面红藤所在的那块突出的岩石。

“你肯定也发现了，”赛林说，他们往上走的时候遭遇到大风的阻力，“等我们会飞以后，那块大石头可以成为理想的起飞点。总是有一股风把你托起来。太棒了！”

他们到了那里，红藤已经把那个蛋从窝里叼了出来，正在把它往岩石边缘推去。

“要我们帮忙吗？”赛林问。

“谢谢你们俩，还是我自己来吧。接触这只蛋的鸟越少，孵出来的雏鸟就越不会感到糊涂。”

“啊，她来了。今晚还是没有伴侣。肯定在别处忙着呢，”

红藤说，“我每次看见那些翅膀，心里都激动得要命。太辉煌了，是不是？”

赛林看见了那个白色的脑袋，比任何星星都要明亮，在拂晓时分朦朦胧胧的微光中出现。秃鹰的翅膀大得令人难以置信。赛林心中一阵狂喜。他实在太兴奋了，没有听见吉菲焦急的轻叫声。最后，一只尖厉的嘴巴捅了捅他的膝盖。

“赛林，快！我听见有人从小路上来了。”接着赛林也听见了。吉菲闪身藏进了一道狭窄的石缝。对于赛林这样一只胖乎乎的谷仓猫头鹰来说，这道石缝实在太小了。

“进来。进来。我们挤一挤。里面还是挺宽敞的。”吉菲很着急，赛林吓得几乎僵住了，爪子牢牢地钉在脚下的岩石上。猫头鹰害怕的时候，羽毛会平伏下来，身子会变得细瘦。赛林内心充满了恐惧，身体似乎真的缩小了。他挤进那道石缝，果然，石缝里面还比较宽敞。他希望没有把吉菲挤坏。他们俩都屏住呼吸，目睹着那令人恐惧的一幕在岩石上展开。

“12-8 号！”一声尖叫似乎划破了天空。我的天哪，是斯吭、斯嘣、杰特和加特。还有芬姨！芬姨气得呼哧呼哧喘着粗气，她眼睛里的黄光不再柔和，而是发出一种坚硬的金属般的凶光。

“我怀疑她有一段时间了！”芬姨嘎嘎叫着说，把已经返回窝里的红藤拖了出来。

那只蛋被初升的太阳勾勒出了轮廓，柔弱地立在岩石边缘，微微颤抖。赛林的目光牢牢地盯着那只蛋。在黎明天空的衬托下，它显得那么庞大，同时又那么脆弱。它有可能是伊兰。这个想法在赛林的脑海里膨胀，使他感到深深的恐惧。这就是他们为之奋斗的未来。这就是圣灵枭的恶行。那只蛋濒临深渊，摇摇欲坠，就像整个猫头鹰世界一样。秃鹰在天空盘旋。

突然，传来一声低沉而悲怆的叫声。“快把蛋拿走！别管我。救蛋要紧……救蛋要紧！”是红藤在尖叫。接着一个巨大的阴影掠过岩石，随即是一片羽毛纷纷扬扬。赛林似乎什么也看不见，只看见羽毛纷飞。到处都是羽毛和绒毛，在清晨玫瑰色的柔光中飞舞旋转。秃鹰闪电般地左扑右闪。红藤的声音不停地尖叫着，“救蛋要紧！救蛋要紧！”芬姨是他们中间搏斗最凶狠的。她张开嘴巴准备撕扯，脑袋上的黄眼睛闪烁着疯狂的光芒，伸出爪子想去掏秃鹰的眼睛，简直像一股白色的飓风。她嘴里发出恶毒的咒骂。“弄死她！弄死她！”她用震耳欲聋的高亢声音喊道。她那羽毛密布的脸庞变得越来越刚硬，最后简直像石头一样，配上漆黑的鸟嘴和凶残的黄眼睛，活像一副残忍刺目的白色面具。

吉菲和赛林看见秃鹰用翅膀大力一扫，芬姨就仰面躺倒在地。与此同时，秃鹰用爪子紧紧抓住那只蛋，冲上了天空。

然而红藤的声音听起来越来越微弱，似乎在逐渐远去，逐渐消失……似乎……似乎……赛林和吉菲互相望着对方。两颗大大的泪珠从赛林的黑眼睛里渗出来。“她掉下去了，是吗，吉菲？”

“他们把她推下去的。”只见芬姨跟斯吭一起站在悬崖边，望着下面的一千英尺的深渊。“别了，”芬姨低语道，一边挥了挥支离破碎的翅膀，“别了，12-8 号，你这个傻瓜！”低语声变成了赛林所能想象的最丑恶的狞笑。

“可是秃鹰拿到了那只蛋。”吉菲用软软的声音说。

“是的，她拿到了。”赛林回答。

现在，将会有关于勇敢的红藤的更多故事，是啊，更多传奇故事在安巴拉流传。

拣蛋场暂时关闭。所有在拣蛋场和孵蛋场工作的猫头鹰都必须立刻到月光室去报到，接受月光照烤，第二天夜里正好是个满月。赛林和吉菲仍然挤在那道石缝里，听见芬姨、斯吭和斯嘣在谈论不让这件事传出去。芬姨又恢复了她平常的声音。她婆婆妈妈，大惊小怪，一迭声地说她怎么也想象不到，那个被月光催眠得那么完美的猫头鹰 12-8 号，竟然在她的监视下犯下这样的错误。

吉菲和赛林又一次在月光室经受住了月光照烤。他们讲述着远古传说，用吉菲的话说是珈瑚传奇。赛林具有出色的讲故事的天赋，在第一天夜里编了一个新故事，在月光火辣辣的照射下断断续续地讲述。

“她是一只与众不同的猫头鹰……”赛林讲道，心里想着红藤，“她的脸庞又美丽又慈祥，深褐色的眼睛很温暖，像两个小太阳一样闪闪发光。然而，她的翅膀却因为某种原因残缺不全。而她正是从自己的缺陷中汲取了强大的力量。因为这只猫头鹰一心向善，她坚守着自由的梦想，却放弃了个人的自由，在一个暗无天日的地方，在一处高高的石头上，她找到了开展斗争的方式。”

赛林的故事讲完了，灼人的月亮也开始在天空中滑落。

18 血腥的夜晚

这是月亏期的最后一夜。今夜的月亮看上去像天空中一根脆弱的细线。他们在拣蛋场工作后经受月光照烤的那个满月，似乎是最长的一次满月。但是赛林和吉菲都承受住了。赛林把嘴插进自己的羽毛，红藤说过，这些羽毛长得很漂亮。现在它们似乎更茂密了。

“看看那些初级飞羽，赛林，还有你的装饰羽！我真羡慕你的装饰羽！”吉菲说。

赛林轻轻用嘴掠过那层像薄雾一样覆盖在拨风羽上的装饰羽。他记得妈妈说过，必须每天都用嘴梳理自己的装饰羽，因为装饰羽是猫头鹰独有的。在所有的鸟类中，只有猫头鹰，而且只有某些种类的猫头鹰，才有装饰羽。精灵猫头鹰就没有这些镶嵌在翅膀边缘的细密、柔软的羽毛。正是这些羽毛，使得赛林这样的谷仓猫头鹰飞起来几乎一点声音也没有。

“装饰羽，”妈妈说过，“跟锋利的嘴巴和锋利的爪子一样重要。”当然啦，这些话主要是对昆郎说的。在赛林快要孵出来的时候，昆郎的装饰羽刚刚冒出头来，但是昆郎整天只关心自己的嘴和爪子。

“这么说，吉菲，你认为到下一轮月亏期我们就能离开了？”

“是的。”

赛林望着这只成为他朋友的小个子猫头鹰，心里感到一阵内疚。吉菲已是一只羽毛丰满的猫头鹰，她现在就可以离开。吉菲长着带斑点的红褐色和灰色羽毛，还有两轮漂亮的白色羽毛弯弯地悬在眼睛上面，她看上去那么成熟，完全具备了飞走的条件。“吉菲，”赛林叹着气说，“你现在就可以离开的。你看看你自己吧。”

确实，吉菲已经变成了一只非常漂亮的精灵猫头鹰。“赛林，我们以前谈过这个问题。我跟你说过，我在等待。”

“我知道，我知道。我只是希望你想想清楚。”赛林把脑袋上下点了点，然后歪到一边，显出一副疑问的样子。

“我们还没能进入藏书室，我觉得——”

赛林想打断她的话。他怎么也弄不明白，吉菲为什么一门心思要进入藏书室。微粒是挺蹊跷的，但他看不出来这跟他们逃跑有什么关系。当然啦，藏书室位于峡谷高处，离天空较近。孵蛋场可以给他们提供理想的起飞点，但是自从红藤不幸

遇难，他们进入孵蛋场的机会彻底失去了。此刻只听吉菲说道，“赛林，我的砂囊里有一种感觉。如果我们能进入藏书室，就有可能逃出去。但是在林伯回来之前，恐怕没有机会。”

“我们为什么没有问问红藤，林伯是不是没有完全被催眠呢？”赛林大声说出心里的疑问。

“我怀疑红藤什么也不知道。实际上，红藤在这地方只看见过孵蛋场。”

“我想你是对的，”赛林回答，“可是，吉菲，就算藏书室是第二个理想的逃身之处，如果我们不会飞，即使进去了又有什么用呢？你说我们必须学会飞，我认为最好赶紧开始。关于飞行的入门知识，除了记忆中爸爸妈妈说过的话，我们还知道什么？我们在这里怎么可能练习跳枝？如果我们跳来跳去，做一些平常猫头鹰到了学飞的年纪所做的事情，那些监督员就会像闪电一样扑过来，那速度比听到我们提问题扑过来还要快。”

“你说得对，赛林。时机还不成熟。我们必须想办法练习。”

“我不敢说能不能想出办法来。我的意思是，这似乎太冒险了。”

可是，晚上在大场吃那份蟋蟀时，吉菲看到赛林实际上在用非常隐蔽的方式进行练习。谷仓猫头鹰赛林展开翅膀，让羽毛松散开来，虽然没有跳跃，但他无疑摆出了所谓准备起飞的姿势。他们进入小食团儿场第一天的向导就是47-2号，在吉菲看来，47-2号是整个圣灵枭被月光催眠得最彻底的一只猫头鹰。这时赛林把脸转向

47-2 号。

“得到那种感觉太妙了。”赛林对 47-2 号说。自然，他没有等着 47-2 号问“什么感觉？”他只是径自说下去，回答自己的问题，希望能引诱47-2 号提供一些信息。“终于起飞的时候，感觉一定特别美妙。”他说话时微微抬起翅膀。“就好像我知道翅膀下的什么地方会鼓起风来似的。”

“哦，是的。”47-2 号眨眨眼睛说，“那种感觉会过去的。”47-2 号的翅膀软软地耷拉在身体两侧,“我也记得当时的感觉。这种感觉不会纠缠你很久的。”她两眼直视前方，目光呆滞。

纠缠？这样的感觉怎么会是一种纠缠呢？赛林不敢问。他看到吉菲也听到了这段对话，也感到同样的不安。一种恐惧开始从他们的砂囊弥漫，渗入他们的骨头缝里。他们本来以为那些DNF——命中注定不会飞的猫头鹰——只是那些在孵蛋场和拣蛋场工作的。难道在小食团儿场也有 DNF 吗？

“没错，没错，”47-2 号用她那没有表情的怪异腔调说，“会过去的，很快就会过去的，当他们替你缓解这种想飞的冲动时，那感觉真是太好了。”

赛林说出下一个陈述句时，声音止不住有些发抖，“是啊，想飞的冲动。我非常喜欢这种想飞的冲动。我翅膀底下的这种感觉太奇妙了。”

“不，不。相信我的话吧，它们会变得很烦人。到时候你会欢迎那些蝙蝠的到来的。”

蝙蝠？蝙蝠？赛林和吉菲焦急地想知道蝙蝠是怎么回事。他想个什么办法把这个情报套出来呢？“我在这里并没有看见什么蝙蝠。”赛林说，努力不让自己的声音里透出迫切。

“噢，它们每隔一个月盈期才来。来缓解我们的飞行冲动。你恐怕还不到时候呢。你要等到下一轮的月盈期。”

赛林脑海里有一百个问题在冲撞。只听 47-2 号继续说道，“我听说它们今晚就会来。我已经迫不及待了。那感觉真好啊。每次蝙蝠来过以后，我们都睡得特别香。”

就在这时，杰特和加特尖着嗓子宣布一个通知：“40 号到 48 号的所有猫头鹰，在第三轮睡眠齐步走时到第三区报到。”他们一条声儿地说。

“乌拉！”大场里欢呼起来。“乌拉，乌拉！”47-2 号跳起了一种古怪的快步舞。

两轮齐步走结束了。银丝线一般的月亮落到了天空和大地交汇的地方。最后一道银光一闪，月亮消失了。天空越来越黑暗。第三轮齐步走似乎毫无意义，因为所有的猫头鹰都被笼罩在阴影里，但啸叫声还是响起来了。赛林和吉菲跟着 47-2 号往前走，最后停在了三号区的边缘。

“快看！”吉菲说，“快看他们在做什么。”赛林和吉菲都不敢相信地注视着几百只猫头鹰突然仰面躺倒在地，摊开翅膀，胸脯朝天空袒露着。

“我从没看见一只猫头鹰摆出这样的姿势休息，”赛林说，“看上去很容易受到伤害。”

“我认为这不是什么休息，”吉菲说，“我认为这叫躺倒。”

“躺倒？兽类才这么做，鸟类从不这么做，更别提猫头鹰了。”赛林迟疑着说，“除非他们死了。”

而这些猫头鹰并没有死。

“快听！”赛林说。

大场上方的夜空里似乎突然传来一种有节奏跳动的声音。是翅膀在拍打，但不是猫头鹰那种轻轻的、几乎毫无声息的翅膀，而是粗硬的、皮革般的啪啪声。一种奇怪的歌声开始在大场上响起。接着，一万只蝙蝠在头顶上空飞舞，在夜空的衬托下，比黑夜还要黑，而那些猫头鹰用一种诡异的哀叫召唤着它们。

过来，过来，汩汩地吮吸，
缓解我们的冲动
用你们锋利闪亮的尖牙
吸走这呼呼跳动的热血。
它们流过我们的骨腔
直达每一根羽毛和绒羽。
扑灭这经常骚扰我们的可怕冲动，
快来扼杀我们的梦想，减慢我们的思维
让宁静在我们的血管里奔流。

来吧，来吧，喝一个够，

我们的痛苦就会结束。

赛林和吉菲两眼一眨不眨，惊异地注视着那些吸血蝙蝠俯冲下来。蝙蝠用它们小小的翅膀尖和脚，往那些猫头鹰的胸脯上爬去。它们似乎搜寻了几秒钟，在猫头鹰胸脯上找到一个没有毛的地方。然后，它们用亮晶晶的尖牙齿迅速咬开一个小口子。蝙蝠的舌头窄窄的，带着沟槽，插进那些小口子。猫头鹰动都没动一下，似乎只向黑夜发出叹息。赛林和吉菲完全惊呆了，动弹不得。47-2 号把脑袋转向他们，她半闭着眼睛，脸上是一种温和而满足的表情。

"一定疼得要命。"赛林轻声说。

"不，很舒服，很舒服。冲动消失了。不再有了……"她的声音融入了夜晚的黑暗。

赛林和吉菲不知道吸血蝙蝠在那里呆了多久，只是眼睁睁地看着它们鼓胀起来。最后它们实在灌得太饱了，起飞的时候步履蹒跚，跌跌撞撞。月亮消失了，要几天后才会出现。灰蒙蒙的晨曦开始渗入黑暗，那些蝙蝠像醉鬼一样绕着圈子，飞过这残余的黑夜。

19 信心

自从那个血腥的夜晚之后，赛林和吉菲一门心思只想着飞行。现在他们才恍然大悟，为什么圣灵枭的小猫头鹰，都不像超过雏鸟阶段的正常猫头鹰那样，拥有光亮顺滑的羽毛和毛茸茸的绒羽。一般来说，一只猫头鹰长出拨风羽并不是一件复杂的事，但是血液不足，不管是初级飞羽还是装饰羽便都会枯萎凋零。而所有的冲动、飞的梦想、翱翔蓝天和享受自由的欢乐，也都随之消亡了。

赛林和吉菲的任务是确定无疑的：他们必须学会飞，虽然这里没有机会进行跳枝、跳跃等等的飞行练习。他们必须让飞行的梦想在脑海里保持鲜活。他们必须在砂囊里感受到它，这样他们才能学会飞。吉菲把她爸爸说的话告诉赛林："赛林，我爸爸说，'你可以没完没了地练习，但如果你没有信心，还

是永远飞不起来。’所以，赛林，光练习是不够的。我们必须有信心，我们应该有信心，因为我们没有被月光催眠。”

“可是，不管有没有被催眠，我们都必须有羽毛呀。而我的拨风羽还是不够。”赛林回答。

“肯定会长出来的。到了下一轮的月盈期，你的拨风羽就够了。”

“唉，问题就在这里呀。到那时候，那些蝙蝠就又会来了。”

吉菲严肃地看着赛林，“所以我们必须在下一轮的月盈期之前学会飞。”

“可是我还没有条件。我的羽毛还不够。”赛林说。

“差不多够了。”

“差不多？吉菲，差不多和足够之间是有差别的。”

“没错。差别就是信心，赛林。信心。”小个子精灵猫头鹰把最后两个字说得那样凶狠，赛林吓得往后退了一步。“你有一个又大又宽厚的砂囊，赛林。你有感觉，我知道。你的感觉很强烈。如果有哪只猫头鹰能做到这点，那就是你。”

赛林沮丧地眨眨眼睛。既然眼前这个体重还不及一团树叶的猫头鹰都这么有信心，他怎么能没有信心呢？拥有强大砂囊的不是他，而是吉菲。

于是，两只小猫头鹰不停地想着飞行。只要一有机会就谈论这件事。他们共同回忆爸爸妈妈从窝里飞向天空时的情景。他们经常争论，关于翅膀的角度，关于浮力和气流，关于他们注视其他猫头鹰时看见的、感觉到的东西。他们没完没了地琢磨构成圣灵枭的那些石头迷宫般的峡谷和岩隙。他们知道，逃出去的惟一办法就是一直往上飞，这就需要最复杂的飞行技巧，特别是他们现在再也无法到孵蛋场高处红藤的那块岩石上去了。这里不可能让他们慢慢地滑翔起飞。

然而他们知道，当他们逃跑时，必须尽量找到一处最高的、离天空最近的地方。吉菲仍然从砂囊深处感觉到，藏书室就是这样一个地方，而且他们在藏书室里还能够发现微粒的秘密，而不知为什么，这个秘密对他们的逃跑是至关重要的。

在一个温暖得反常的日子里，吉菲跑去取来新的小食团儿，回到小食团儿场的岗位上。她简直无法掩饰内心的兴奋。“他回来了，”她轻声对赛林说，“林伯回来了！你下一班跟我一起去取新的小食团儿。”

这倒不难。下一班正赶上吃点心，去取小食团儿就会错过点心。所以从来都没有谁愿意去。

太阳高高升到天空的时候，赛林和吉菲在“大缝”里不再往前走了。当然啦，他们的双脚还在动，就好像仍然在前进，其实他们一直呆在原地，后面的猫头鹰自动分开，从他们两边绕了过去。赛林眨眨眼睛。他用不着抬头就感觉到那片蔚蓝的天空在他们头顶上飘动。她已经许多次经过这个地方了，每次想到这一小角楔形的天空近在咫尺，他就觉得精神振奋。他总是闭起眼睛感受着它。当所有的小猫头鹰都走过去后，吉菲做

了个示意，他们便拐进了通向藏书室的那道较小的岩缝。

吉菲大步走在前面，赛林害怕得全身发抖。吉菲怀疑林伯没有被月光完全催眠，如果她的怀疑错了怎么办？如果林伯报警怎么办？如果他们俩都被抓去再经受一次笑声疗法怎么办？赛林打了个哆嗦，感到他的羽绒和新长出来的初级飞羽一阵发紧。

林伯站在藏书室的入口处。周围似乎没有别的猫头鹰。但赛林还是感觉到空气在震动，他突然意识到这是 股微风。他全身顿时一阵欣喜和激动，就像那天在红藤窝的石头上一样。这时林伯转过身，朝他俩眨眨眼睛。接下来的对话非常奇怪，令赛林感到惊愕。

“这么说你们来了。”林伯说。

“是啊，我们来了。”吉菲说。

“你们的行为非常危险。”北风猫头鹰谨慎地说。

“在这里我们的生命一钱不值。我们没有什么可失去的。”吉菲回答。

“勇气可嘉。”

“这不算勇气。等你听到我提的问题，就会知道我的勇气了。”

赛林差点昏了过去。吉菲怎么敢说出这个词！

林伯几乎无法控制地发起抖来：“你竟然敢说这个词。”

“没错，我还要说‘什么’、‘什么时候’和‘为什么’，说一只自由的、没有被月光催眠的猫头鹰想说的话。因为我们跟你一样，林伯。”

林伯开始结结巴巴：“什——什么？”

“我在说什么？这就是你想问的话吗？说吧，林伯。问我是怎么知道的。你想问什么就问什么，我只有一个答案可以告诉你：我的砂囊感觉到的。”

“砂囊？”林伯的神情因回忆而变得恍惚。

“是的，砂囊，我们的砂囊还很灵敏。我们知道，我们感觉到——你并没有被月光催眠。你像我们一样，是在假装。”

“并不完全是这样。”猫头鹰眨眨眼睛。一层薄薄的透明的眼皮盖住他的眼睛。赛林知道这种透明眼皮。爸爸妈妈曾经告诉过他，当他开始飞的时候，会发现这种眼皮很有用，它们能让他的眼睛在飞行中保持清澈，不受空中颗粒物的伤害。可是林伯并没有在飞呀。是啊，林伯几乎一动不动。那么他的透明眼皮为什么使劲眨个不停？接着，赛林发现大颗的泪珠汇聚在他大大的黄眼睛的眼角。“噢，我还不如被月光完全催眠了呢。我还不如——”

“为什么，林伯？”赛林轻声地问，“为什么？”

“我现在没法告诉你们。我今晚会到大场来找你们。我会给你们俩安排一个差事。现在是月盈期，他们不会在意的。但是我现在要对你们说一句，你们做的事情是极其危险的。你们做的事情，会给你们带来比死还要可怕的瑒噩运。”

“比死还要可怕？”吉菲问。“有什么能比死还要可怕呢？我们情愿去死。”

“我过的日子就是比死还要可怕，真的。”

20 林伯的故事

“我本来还以为我特别机灵呢。”林伯说。他领着他们走进峡壁的另一道缝隙，离开从小食团儿场通出来的那条大缝。“是这样的，我和老伴捕猎回来的时候，抓幼雏的巡逻队刚抓住了我几个孩子中的一个——小贝儿，她是我最喜欢的小宝贝。我猛地俯冲下去，凶狠地朝他们发起进攻。用爪子抓住贝儿的，正好是杰特和加特的一位堂兄，叫奥克。他很厉害，不过最后还是被我干掉了。其他猫头鹰都惊呆了，不敢近前，斯嘣和斯吭飞了过来，他们看见了刚才发生的事。奇怪的是，看到奥克死了他们竟然很兴奋。原来，圣灵枭的前一位头头一年前死了，从那以后，奥克及其部下和斯嘣、斯吭的部下就一直在展开激烈的权力之争。斯吭和斯嘣高兴之余，答应过我的家人，再也不到我们窝里来了，只要我答应跟他们回到圣灵枭，加入他们一伙。他们看上了我的武艺。我没戴战爪，只用我的爪子和嘴巴就结果了奥克的性命。他们需要我。

“唉，当时看来没有别的选择。我看着我亲爱的老伴。窝里还有三个小家伙。我没有办法，只能跟他们走。我的老伴央求我别走。她发誓说我们可以离开这里，远走高飞。但是斯吭和斯嘣哈哈大笑，说即使我们跑到天边，他们也能找到我们。就这样，我就加入了他们一伙。我的老伴和孩子们保证永远不会忘记我。斯嘣和斯吭答应让我每年来看望他们三次，这在当时听来是非常仁慈的。其实我当时就该起疑心了，但我根本就不知道月光催眠的事，如果我被成功地催眠了，看望家人就会变得毫无意义。我家人再也不会认识我，我对他们也不会再有任何感情。因为被月光催眠的猫头鹰已经没有什么真正的感情了，而且随着时间的推移，那些有感情的猫头鹰就不会再认识我们。那就是月光催眠的邪恶本质。

“于是，我像你们一样下决心抵制和假装。我做得还算成功。斯吭和斯嘣很看重我的武艺，允许我给自己挣得一个名字。我本来是28-5号，后来成了林伯。现在……”林伯又开始浑身发抖，“事情有了变化。”

“你说什么？你不是抵制住了吗？”赛林说。

“是啊，在一定程度上。”

“在一定程度上？你要么被催眠了，要么就没被催眠。”吉菲说。

“每过几轮月盈期，即使我们这些成熟的猫头鹰也要经受强化催眠。我认为事情开始有了变化。我虽然以前抵制住了，但现在好像正在失去什么。我亲爱的老伴和小贝儿的面孔开始变得模糊。我以前去看望他们的时候，就会恢复我过去的声音。北风猫头鹰的呼唤就像歌声一样，还有人说就像教堂里敲响的钟声，可是现在却变得平淡淡的，毫无感情。在大约八轮月盈期之前，我去看望我的家人，我像平时一样大声呼唤，但是谁也没有听出我的声音。然后，在两轮月盈期之前，我回去的时候，我的老伴和小贝儿都没有认出我来。”

“真不敢相信。”吉菲小声说。

“现在他们都不见了。”林伯说。

“不见了？”赛林说。“你是说他们离开了？”

“离开了，或者被斯吭和斯嘣杀死了，或者……”林伯的声音低了下去。

“或者怎么样呢？”吉菲追问。

“或者，他们其实就在那儿，只是我根本看不见他们，他们也认不出我。我认为我已经变得像空气一样透明，变得什么都不是了。这难道不是月光催眠最残酷的地方吗？恐怕，再过几轮月盈期，我就会变成一只被彻底催眠的老猫头鹰了。”

“可是为什么呢？他们为什么要这么做？圣灵枭的意图是什么呀？”赛林问。

“还有那些微粒，它们又是怎么回事呢？”吉菲抬头望着那只魁梧的北风猫头鹰。

“啊！一个问题很简单，另一个问题就不那么简单了。圣灵枭的意图就是要控制地球上的每一个猫头鹰王国。”

“并且把它们摧毁？”赛林问。

“你可以说那些王国肯定会被摧毁，但他们真正想要的是控制。要达到他们希望的那种控制，就必须使用月光催眠。这是他们的主要工具，因为月光催眠摧毁意志、消除个性，使大家变得千篇一律。而微粒是另一种工具，是战争的武器。”

“微粒能做什么呢？”吉菲问。

“其实谁都不知道。我也没有把握。如果对微粒做一些处理，它们就会具有力量。”

“什么样的力量？”

“唉，我也说不上来，它们似乎能把东西吸引过去。我在藏书室的微粒储藏区工作的时候，有时似乎能感觉到它们的力量。”

赛林和吉菲觉得十分惊奇。“真奇怪啊。”吉菲说。

“教我们飞吧，林伯！教我们飞吧。”赛林的话脱口而出。这个没有完全成形的想法似乎一下子在他脑海里炸响，一种震颤的感觉一直蔓延到他的砂囊。接着是一阵惊愕的沉默。吉菲和林伯都看着赛林，眨眨眼睛，一言不发。

“可是你知道，赛林，你也知道，吉菲，我可以告诉你们怎么做，我也可以帮助你们练习，但是我什么也做不了。飞是一件很奇怪的事。一只小猫头鹰可以每个动作都做得很完

美，但如果没有信心……”

吉菲和赛林都朝林伯眨眨眼睛，异口同声地说，“如果没有信心，就永远飞不起来。”

“没错，没错。看来你们都很明白。不用说，正是因为这个，大场的那些小猫头鹰永远都不会飞。不仅是吸血蝙蝠抑制了他们的冲动，使他们的羽毛变得脆弱易碎，而且，如果一只猫头鹰被月光催眠了，他就根本不知道信心为何物了。”

“但我们没有被月光催眠呀，”吉菲说，“我相信你也没有，林伯。”

“你们给了我希望，你们两个小家伙。我本来以为我所有的希望都被摧毁了，但你们给了我希望。对，我要试一试。我来告诉你们必须怎么做。”

接下来，林伯解释说，每天干完活后，他负责整理小食团儿的产品——牙齿、兽毛和微粒。“我把它们存放在藏书室里，登记在库存清单上。我可以要求让你们过来帮忙登记。我主要是在藏书室外的一小片地方工作，等东西够多了，就把它们拿进来。没有工作的时候，我白天就在藏书室站岗。他们肯定不会让你们进入藏书室的，但我可以试着在那一小片地方教你们学飞。那里并不理想，但我们没有别的地方了。它跟藏书室相连，藏书室要大一些，但你们不能进去，因为当我在储藏区的时候，就会有另外的猫头鹰给藏书室站岗。”

“我还以为藏书室里有书呢。”吉菲说。

“确实有书。但我们也把这些东西存放在那里。就放在解释这些东西的书籍附近。”

“不知怎的，吉菲从砂囊深处感觉到，微粒会帮助我们逃跑。”

“不要指望这样的事情，”林伯严厉地说，“你对自己的信心，比任何微粒可能给你的帮助都要大得多。”

事情就这样安排好了。在月盈期的每个夜晚，以及满月前的许多个夜晚，当所有的小猫头鹰都被召集在大场里接受月光催眠时，吉菲和赛林就会得到批准，到仓库里的储藏区帮忙。他们的第一节课就在那天夜里开始。

21 飞

“再扇，用力扇。翅膀向上扇的时候必须差不多互相碰到……”林伯在做指导。赛林和吉菲都累坏了。这似乎比他们看见爸爸妈妈和哥哥姐姐所做的要艰难得多。

“我知道你们累了，但是想要离开这里，惟一的办法就是一直往上飞。你们必须训练自己的肌肉。正是因为这个，我甚至没有让你们练习跳跃或跳枝。你们没有那么奢侈，不可能悠哉游哉地从窝里慢慢滑下来。你们必须加强自己的动力飞行技巧。来吧，再试一遍。”

“可是我们逃出去以后，”赛林问，“又怎么知道该怎么办呢？”

“会知道的。我是怎么跟你们说的？静止的空气没有形状。到了空中，你们就会感觉到一团空气在你们的翅膀周围运动。你们就会感觉到它的速度，知道它是平稳还是颠簸，是炎热还是寒冷。你们就会知道怎样塑造它、利用它。风永远都是有形状的，而在圣灵枭没有风。这里太深了，风够不到。在这些狭小的空间里，甚至很难感觉到空气的存在。这里的空气是不会流动的，是死亡的。所以你们必须格外努力，让自己的翅膀有力地扇动，给它一个形状。你们向下扇的时候必须特别用力。向上扇时则希望空气轻松地流过。所以你们俩的翅膀尖上的羽毛都带有狭缝，细细的狭缝。它们互相分开，让你们轻松地升上去。”

林伯做了示范。他往前探了探身子，伸着脑袋，扬起翅膀。成了——他突然就到了半空。林伯的个头是赛林的两倍还不止，但他似乎毫不费力就飘浮在了空中。他们能学会吗？他们到底有没有进步呢？

林伯似乎看透了他们的想法：“这只是你们第三次上课。你们已经变得强壮了，我看得出来。但你们必须要有信心。”

然后，到第四次上课的时候，他们确实觉得容易一些了，而且砂囊里第一次开始感觉到了信心。他们可以感到空气在自己身体上方分开。在仓库区那些深深的石头峡谷里，他们每一次都比前一次飞得更高。他们试着想象离开这里，冲向没有月亮的漆黑诱人的夜空。他们开始感觉到每个翅膀底下形成的、让他们浮到夜空中去的空气流动的轮廓。月盈期还将持续两个夜晚，然后，他们的课程就要开始缩减，因为月亮会慢慢圆起来，他们必须留在大场里，越来越长时间地暴露在月光下，接受催眠。最后，当月亮变得胖胖的、圆圆的，月亏期的第一阶段开始时，他们就要离开了。他们必须在那个时候离开，因为

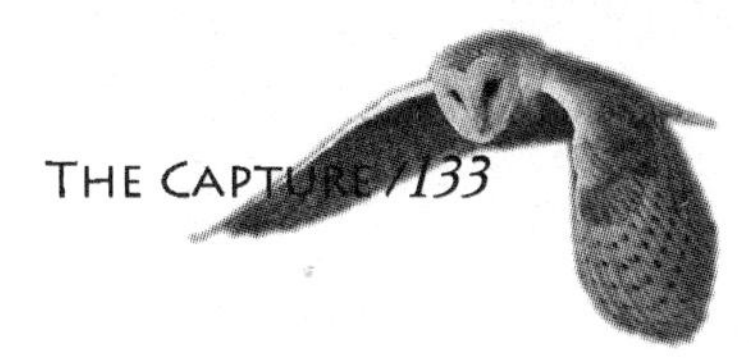

吸血蝙蝠就要回来了。那个时候，他们作为羽毛丰满的猫头鹰，就会被送到那些蝙蝠手里，那样一来，逃跑的希望就彻底破灭了。

他们虽然还没有去过藏书室，但逃跑的那天夜里必须去那里，除了孵蛋场，藏书室算是位置最高，最接近天空的地方了。林伯打算告诉那天夜里在藏书室站岗的哨兵，让他们离开几分钟，因为据报告小食团儿场里出了乱子，而且就在哨兵白天监督的那个区域。林伯向赛林和吉菲保证，经过那么多练习，到时候飞起来会很容易的。他们对藏书室很好奇。林伯曾经跟他们解释过藏书室是什么样子，那些书籍，以及他们白天从小食团儿里挑出来的羽毛、牙齿、骨头、微粒和所有其他东西都存放在什么地方。一些最好的战爪也存放在藏书室。吉菲和赛林对它们感到很好奇。

“那些战爪不是在这里做的，是吗？”吉菲问。

“不是。他们不会做。哦，他们多么希望自己会做啊。我听见斯嘣和斯吭一天到晚在谈论这件事。我认为这需要金属方面的深奥知识。那些战爪都是偷来的。他们到各个养着武士的猫头鹰王国去搜刮。他们到打过仗的战场上去，从死去的武士身上收集战爪。但是他们并不知道怎么制作战爪。你们认为圣灵枭这里的猫头鹰都很聪明，其实斯吭和斯嘣特别害怕有别的猫头鹰比他们聪明……唉，所以他们就把大家都给月光催眠了。这里谁也不会读书写字。不许提问。所以，怎么可能学到东西，创造发明呢？根本不可能。好多年来，他们一直想弄清微粒的秘密，但我怀疑他们永远也弄不清楚。他们从来不让别人研究微粒，弄清其中的奥秘。吉菲，就拿你来说吧。你只是对微粒存有疑问，你的砂囊里有感觉，你知道的恐怕就几乎跟他们一样多了——因为你有好奇心。好了，说得够多了。你们俩该练习了。我希望你们俩今晚都飞到石头最高处的那道裂缝上去。赛林，你翅膀扇五下。吉菲，你个子比较小，我让你扇八下。”

“你肯定是在开玩笑。”赛林惊讶极了。

“我没开玩笑。你先来，赛林。往下扇的时候，一下是一下。只要你有信心，就不会栽下来。”

赛林站在墙上突出来的一块低矮的石头上，闭上眼睛。他抬起翅膀，用全身的力气把它们拍下去。我能行。我能行！他觉得自己的身体浮起来了。接着往上扇的时候，他感到空气聚在他的翅膀底下。很大的浮力把他托了起来。

“太好了！”林伯轻声说，“再来，再用点力气。”赛林已经到达那道裂缝的一半高度，而他的翅膀只扇动了两下。

我能行，我能行！我感觉到了空气。我感觉到了我扇动翅膀的力量。我在上升。我在上升。我会飞啦！……

22 风的形状

“今晚？林伯，你一定是疯了。现在离月亏期还早着呢。时间太紧了！”吉菲大声说。

“我们还没有准备好呢。”赛林抗议道。

“你们已经准备好了。赛林，我让你五下飞到储藏区的那道裂缝，结果你只用了四下。吉菲，我给了你八下，你只用了七下。时间就定在今晚了。”

“为什么？”他们俩同时问道。

林伯叹了口气。他会想念这两个小家伙的。他最想念的就是他们的提问。能够提问和回答，这是多么奢侈的享受啊。他曾经以为世界上最美味的东西是刚被捕杀的田鼠，现在他不这样看了。最美味的东西是舌尖上的一个问题。是以“什么”开头的一句话，说出这个词时空气摩擦的声音真是太美妙了。哦，他会多么想念这两只小猫头鹰啊。他们看上去也那么可爱，身上的羽毛刚长出来，还没有被吸血蝙蝠碰过。“今晚会有上升热气流，所以你们必须出发。”

“上升热气流？什么是上升热气流？”赛林问。

“就是温暖的气流。它们来得比往年早。一旦离开了这儿，它们会使你们飞起来很容易。你们从这里飞出去不远就应该能遭遇那些气流。然后你们就能够翱翔了。”

“我们不知道怎么翱翔，”吉菲说，“我们只知道扇动翅膀。”

“别担心。等你们遇到上升热气流，就会知道怎么办的。风的形状会告诉你们的。”

“今天夜里谁站岗？”

“杰特。”

“杰特！”赛林抽了口冷气，“那太可怕了。你怎么把他打发到小食团儿场里去呢？”

“我会想办法的。别担心。我会摆脱他的。我已经给你们俩弄到了许可证，在今天夜里第三轮和第四轮睡眠齐步走之间。”

第三轮睡眠齐步走刚刚结束。赛林和吉菲找到他们这个区域的睡姿监督员，把许可证拿给他看。他眨眨眼睛，叫他们快去。他们悄没声儿地穿过圣灵枭的石头走廊，各自怀着心事。其实他们的想法是一样的，都以从未有过的毅力拼命集中意念，相信自己肯定会飞。他们尽量不去想自己的飞行经历很

短，跟一只羽毛初丰的小猫头鹰平常的练习根本没法儿比。他们对于滑翔、翱翔和盘旋一点儿概念也没有。

“废话，废话，废话，”每次他们提起曾经听爸爸妈妈跟哥哥姐姐谈论过的这些想法，林伯就会小声嘟囔。这些问题主要是吉菲问的。林伯总是告诫她：“你想得太多了。你不需要去想什么叫盘旋和翱翔。你只需要知道快速起飞、一直往上——加油！用力扇动！”他每说一个词，就把脑袋往前一探，用他的黄眼睛凶狠而强硬地瞪着赛林和吉菲，“就是这样。要离开这里，你们只需要这个！”

这便是赛林和吉菲脑子里所想的。他们满脑子都想着这个。有力地向下扇动。让初级飞羽前缘的狭缝聚拢在一起。再向上扇动，那些羽毛之间就能形成间隔，让空气流过而不造成阻力。经过这么多的练习，他们已经变得强劲有力。他们恐怕是整个圣灵枭孤儿院里最健壮的两只小猫头鹰了。单凭这一点，他们就有了信心。还有哪个像吉菲这么年轻的精灵猫头鹰能把翅膀扇动得这样有力呢？

他们终于来到了储藏区。林伯一眼就看出两只小猫头鹰都鼓足了劲头。很好。现在他只希望他把杰特支走的计划能够成功。运气不错，林伯察觉到加特和杰特两兄弟之间并不和睦。可能是因为嫉妒吧。似乎斯吭对加特的关注比对他哥哥更多一点，特别是在打仗的问题上。每次战斗之后，关于如何分配那些战败猫头鹰留下的战爪，总是有一场小小的竞争。斯吭和斯嘣先挑，在他们返回圣灵枭后，剩下来的战爪就进行分类，并根据级别和在战斗中的表现来分配。有一只年迈的猫头鹰名叫图马克，是战爪大仓库的主管。现在，林伯打算编造一个大胆的谎言，希望能把杰特从他看守的藏书室里支走。林伯开始大声地说起话来。赛林和吉菲一点儿也不明白他在做什么，他好像不是在对他们说话，而是在对一只看不见的猫头鹰说话。

“不会吧？我的天哪！战爪仓库出了乱子。哦，杰特听了肯定会不高兴的。我想我最好去告诉他。”等到林伯来到藏书室站岗的房间——其实也就是几秒钟的事——杰特早已焦虑不安，全身的羽毛都膨胀起来，不停地颤抖。他的身体似乎有平常的两倍大，显然心里痛苦得不行。如果有谁会因为疑问而浑身鼓胀，那就是杰特了。这对林伯当然是有利的，他打算充分利用这个优势。

“别担心，杰特。我会把一切都告诉你的。至少会把我知道的都告诉你。好了，冷静一点。我早先听见加特跟斯嘣说话，说的是新到的那批战爪，他认为图马克的分配不合理。斯嘣说她要去跟斯吭谈谈这件事。”

“哦，不！”杰特大吃一惊。“加特一直就想当上仓库的主管。我们都明白那是什么意思。他想成为这里权力最大的猫头鹰，仅次于斯吭和斯嘣。”

“是啊，据我理解，他们正在让图马克和加特通过武力解决问题。很快就会有一场决斗，加特已经集合了他的队伍。你快去把你的队伍召集起来吧，杰特。快——现在还来得及。我来站岗。”

“谢谢你，林伯。谢谢你。别担心，等我当上仓库的主管，那些战爪由你先挑。”

“我不担心，杰特。好了，趁现在还来得及，快去吧。”

杰特转过拐角，顺着那道长长的石缝消失了，林伯立刻招呼赛林和吉菲。“快来，你们两个。一分钟都不能浪费。”两只小猫头鹰冲进了藏书室。他们刚一进屋就倒抽了一口冷气。让他们吃惊的不是那些藏书，也不是挂在一面墙上的那排擦得铮亮的战爪。而是那道天空，漆黑的，布满了星星，那些星星看上去离得真近啊，似乎伸出爪子就能摘到一颗。记忆潮水般涌来。关于天空和风的记忆——没错，他们确实感觉到了风。哦，离得真近啊。没错，他们有了信心！没错，他们能做到。然而，就在赛林和吉菲扬起翅膀，准备第一次扇动时，斯吭冲了进来。她全副武装，看上去凶恶无比。巨大的战爪使她的爪子变成了两倍大。一根金属针从她的嘴尖上伸出来，那轮新月像刀锋一样挂在藏书室的上空，照得这根金属针闪闪发亮。

“快扇！”林伯尖叫道，“快扇。你们能行！你们能行！要有信心！用力扇动！用力！翅膀扇两下，你们就上去了。”可是两只小猫头鹰似乎吓得呆住了。翅膀像石头一样凝固在身体两侧。他们完蛋了。

赛林和吉菲呆呆地注视着斯吭朝他们逼来，接着发生了一件很奇怪的事。斯吭被一种看不见的力量控制着，突然撞到了墙上，那面墙上有一些凹槽，林伯说那些微粒就藏在凹槽里。

“快走！这是你们的机会！”林伯喊道。

确实如此。斯吭似乎被麻痹了，动弹不得。

赛林和吉菲开始鼓动他们的翅膀。他们感觉到自己升起来了。

“你们能行！你们有信心！在砂囊里找感觉。你们是会飞的生灵。飞吧，我的孩子。飞吧！”接着是一声可怕的尖叫，鲜血溅洒了黑夜。

“不要回头！不要回头，赛林！要有信心！”此刻不是林伯在喊叫，而是吉菲。就在他们飞到石头边缘时，感觉到了一股温暖的气流。就好像黑夜伸出宽大而温和的翅膀，把他们送进了夜空。他们没有回头。他们没有看见那只受伤的猫头鹰躺在藏书室的地上。他们没有听见林伯在奄奄一息之际，用正宗的北风猫头鹰的声音，用夜晚钟声般的语调，念出一段古老的猫头鹰祷文：“我让年轻的翅膀树立信心，使自己得到解脱。有信心的猫头鹰有福了，因为他们确实会飞起来。”

23 自由飞翔

在那天夜里的黑暗深处，赛林和吉菲只看见满天的星星，还有月亮沿着它银色的轨迹，缓缓滑入这片崭新天空的无尽黑暗之中，而他们就在这夜空中飞着。于是世界又一次在周围打转，但这次情况不一样了。这次是赛林划出了那些转弯和圆圈。赛林用他的翅膀撮起空气，给它塑造出形状。现在已经不需要焦急地扇动和鼓动翅膀了。他本能地让翅膀静止不动，被上升热气流托着，越升越高，却一根羽毛都没有动。他低头看看吉菲，她在他下面几英尺的地方，在同一股气流的下面一层。林伯说得对。他们很清楚应该怎么做。两只猫头鹰飞进夜空时，他们的骨腔里流淌着本能和信心。

在圣灵枭寂静无风的峡谷和石缝里关闭了这么久之后，两只猫头鹰似乎同时遭遇到了各种可以想象的风和气流。赛林不知道他们究竟飞了多久，只听吉菲突然喊道，“喂，赛林，你知道我们怎么降落吗？”

降落？赛林的脑海里压根儿就没有想过降落的事。他觉得自己可以永远地飞下去。但他猜想小个子精灵猫头鹰可能累了。因为赛林的翅膀每扇动一下，吉菲就要扇动三下。“不知道，吉菲。也许我们应该找一个舒服的树梢，然后……”他顿住了，“唉，我相信我们会有办法的。”

于是他们就这么做了。他们微微地往下倾斜着身子，开始朝远处的一片树丛滑翔。本能又一次起作用了，两只猫头鹰在下落过程中开始围着下面的树丛绕圈子，圈子越绕越小。每只猫头鹰都把翅膀微微翘起以增加阻力，然后，就在快要接近那棵大树时，他们都伸出了爪子。

“成功了！”赛林落在一根树枝上，喘着气说。

“哎哟！”吉菲尖叫道。

“吉菲，你在哪儿？出什么事了？”

“没什么，就是头朝下颠倒了。”

“我的天哪！”赛林惊叫起来，他看见小个子精灵猫头鹰用爪子倒挂在那里，脑袋冲着地面。“这是怎么回事？”

“嘿，我要是知道，就不会发生这种事了。”吉菲没好气地回答。

“哦，天哪！那你打算怎么办呢？”

“唉，让我考虑考虑吧。”

“你倒挂在那里，还能考虑吗？”

“当然能。你以为怎么着？我的大脑会从我脑壳里掉出去吗？真是的，赛林！”

吉菲倒挂在那里，看上去有点儿滑稽，但赛林肯定不会拿这个来取笑她。他只希望自己能帮她一把。

“如果我是你，丫头……”这棵树高处的一根树枝上传来一个声音。

“那是谁？”赛林突然非常害怕。

“我是谁有什么要紧？我自己也有一两次陷入你朋友的这种处境。”赛林感觉到他脚下的树枝在摇晃。一只他见过的块头最大的猫头鹰落了下来，大摇大摆地朝枝头走去。这只猫头鹰通体银灰色，似乎是从月光中分离出来的，他魁梧的身体站在赛林面前。单单他的脑袋就差不多是吉菲身体的两倍，一张大脸盘圆溜溜的。赛林很难想象这只巨大的猫头鹰也曾陷入跟吉菲同样的处境。

“你必须这么做，”他用低沉的声音对下面的吉菲喊道，“你必须放开爪子，放开爪子！飞快地扇动翅膀，向上扇动，保持这个姿势，数到三。你的身子就会正过来，然后只要滑翔下去就行了。让我给你演示一下。”

“可是你个头这么大，吉菲个头这么小。”赛林说。

“我个头大——说得没错！但我既灵巧又漂亮。我会飘浮！我会飞掠。”大块头猫头鹰已经从枝头起飞，在空中飞舞，表演着各种可以想象的飞行特技——俯冲，盘旋，绕圈子，转弯。

他开始唱一首歌：

像蜂鸟一样振翅，
像秃鹰一样俯冲，
没有一只鸟能飞得过我。

“我的天哪！”赛林嘟囔道，“真会炫耀。”

“嘿，有本事就要炫耀，没本事就根本没必要。”大块头猫头鹰落了下来，显然对他的智慧和飞行技巧感到沾沾自喜。

“好吧。”吉菲说。

“放开爪子是最难的，但你必须有信心。”

又是信心，赛林想。似乎吉菲也被这个词打动了，她立刻就放开了爪子。黑夜中一个模糊的小身影在闪动——就像一片小树叶被卷入一股狂风——接着，吉菲的身体就正过来了。

“漂亮！”赛林惊叹道。紧接着，吉菲落在了赛林旁边的那根树枝上。

“看见了吧？小菜一碟，”大块头银色猫头鹰说，“当然啦，当年可没有人来教我。我都是靠自己琢磨出来的。”

赛林端详着大块头猫头鹰。他虽然个头庞大，但看上去年纪很轻。赛林不想冒昧失礼，可他对这只猫头鹰确实感到很好奇。“你是这片地方的？”赛林问。

“这里，那里，随便哪里，”那只猫头鹰回答，“只要你能说出名字，我都去过。”他说起话来粗声大气，听着有点儿吓人。

吉菲跳到枝头,“我要感谢你在我身处困境时好心地给我忠告。”赛林眨眨眼睛，他从来没听过吉菲这样说话。她的口气比她的年龄老成得多，而且特别彬彬有礼。“我们不是故意失礼，但我们从没见过你这种体格的猫头鹰。请恕我们冒昧，我们能否请教一下你属于哪个物种？”

物种！赛林想。我的天哪，吉菲是怎么想出这些词来的？

“物种？那是个什么玩意儿？对于一个像我这样的大灰猫头鹰来说，这个词儿可够花哨的。”

“哦，这么说你是一只大灰猫头鹰。我听说过，虽然昆里沙漠并没有这种猫头鹰。”吉菲说。

“啊，昆里！我去过。不，对大灰猫头鹰来说那不是个好地方。说实在的，我真的没法告诉你们我是从哪儿来的。要知道，我很小的时候就成了孤儿。被圣灵枭的一支巡逻队叼起来，但后来总算落下去，掉在一个被遗弃的窝里。”

“你从圣灵枭巡逻队的手里逃了出来？”

“信不信由你。那些白痴休想把我抓走，只要我还活着。我等待时机，然后一口把抓我的那个家伙的第二个爪子咬掉了。他赶紧把我扔掉，就好像我是一个烫手的热煤球。他们从此不敢再来找我的麻烦。我想这件事大概都传遍了。”他神气活现，然后噔噔地跳向枝头。

这会儿就连吉菲也无话可说了。最后，赛林说话了：“我们也被抓了，但现在逃了出来。我的家在提托王国，我和吉菲都想找到我们的家人。但是我们根本不知道自己是在什么地方。所以我刚才问你是谁。我在提托从来没见过你这样的猫头鹰，可我们现在又停在一棵珈瑚树上，这种树是提托森林才有的呀。”

“不一定。瑚尔河沿岸都有珈瑚树，瑚尔河流经好几个王国呢。”

“没有流经昆里。”吉菲说。

“对，昆里一滴水也没有，更别说一条河了。”

“哦，昆里有水，只要你知道上哪儿去找。”吉菲说。

“唔。”那只猫头鹰眨眨眼睛。

赛林一下子就发现了，这只猫头鹰看到别人知道得比他多就不高兴。

“那么，我们究竟是不是在提托呢？”赛林问。

“我们是在提托和安巴拉王国的交界处。”

“安巴拉！”赛林和吉菲不约而同地抽了一口冷气。红藤！

“照我看来，这是一个二等王国。”

“二等王国！”赛林和吉菲异口同声地说。

“如果你知道红藤，就不会这么说了。”赛林说。

“看在老天的份上，谁是红藤？”

“她已经不在了。”吉菲轻声说。

“一只很好的猫头鹰，”赛林声音发紧地说，“一只特别特别好的猫头鹰。”

大块头猫头鹰眨着眼睛，疑惑地看着两只小猫头鹰。他们

似乎什么都不知道。然而……他没有继续想下去。既然他们能从圣灵枭逃出来，他们的生存技巧肯定是很了得的。但是，什么也比不上他自己所受的教育——一个孤儿所受的教育。在摸爬滚打的孤儿学校，什么东西都要靠自己去学，包括怎么飞，上哪儿去捕食，哪些动物可以捕捉，哪些动物必须千方百计地躲避。是的，什么也比不上靠自己的力量弄清森林世界残酷的规律和体制——这个世界有无穷无尽的财富，也有万劫不复的危险。只有一只能吃苦的猫头鹰才能弄清这些事情。而灰灰认为自己就是一只能吃苦的猫头鹰。很能吃苦。

吉菲似乎缓过神来了，“好吧，请允许我们做一下自我介绍。我叫吉菲，是精灵猫头鹰，在沙漠地区很常见，是候鸟，筑窠鸟。”

“我知道，我知道。我曾经跟你们的几个同类在一个掏空的仙人掌里呆过一段时间。捕猎技巧……唔，怎么说来着？是这样，如果你们只吃蛇，那我们得说，沙漠的智慧跟森林的智慧是不一样的。”

“我们不光吃蛇。我的天哪，我们还吃田鼠和老鼠呢，但不吃沟鼠——它们对我们来说有点太大了。”

“哦，没关系。”大块头猫头鹰转过头，眨眨眼睛看着赛林，“你又是怎么回事呢，小子？”赛林觉得他应该比吉菲说得简单一些，不扯太多的细节。

“我是提托的赛林，谷仓猫头鹰。”赛林感到，恐怕这只猫头鹰不会有兴趣听他介绍提托奥巴家族是多么稀罕。实际上，大块头猫头鹰不会觉得这有什么了不起。“跟我的爸爸妈妈一起住在一棵老枞树里，直到……”他的声音低了下去。

“直到那个可怕的日子。”大块头猫头鹰眨眨眼睛，用他的嘴轻轻敲敲赛林，像是在给他温柔地梳理羽毛。这个小小的动作大大出乎赛林和吉菲的意料。两只小猫头鹰从窝里掉出来后，就一直没有看见过或感觉过令人宽慰的梳理羽毛的动作。其实梳理羽毛是猫头鹰生活中很重要的部分。爸爸妈妈会用自己的嘴巴给伴侣和孩子们梳理打扮，拣去杂质，让羽毛蓬松起来，或者捋平小宝宝刚长出来的乱糟糟的绒毛。这感觉多么温馨而甜美。在家人和关系亲密的亲戚朋友之间梳理和被梳理羽毛，这是一只真正的猫头鹰最根本的东西。赛林被这动作里的善意征服了。大块头猫头鹰转向吉菲，说道，“你，爱说大话的小个子，也过来吧。肯定有很长时间没有人给你梳理打扮了。”于是吉菲也跳到大块头猫头鹰身边，他轮流给他们俩梳理羽毛，一边开始给他们讲述他自己的故事。

“我的名字叫灰灰。我不知道这名字是从哪儿来的。反正我就叫这名字。”

“挺适合你的，”赛林轻声说，“因为你全身都是银色和灰色。”

“是啊，不是黑也不是白。挺合适的，而且我敢说我肯定是在白天和黑夜交界的时候孵出来的，因为我最初的记忆就是这个——白天和黑夜之间那道银色的分界线。大多数猫头鹰都为他们在黑夜里的视力感到自豪。我们能在漆黑的夜晚，在高

处看到别的鸟类看不到的东西——一只老鼠，一只田鼠，一只匆匆在森林里穿行的小松鼠。这些我也都能看见，但我在一个比较困难的时间——在黄昏——也能看见，黄昏的时候，东西的轮廓变得模糊，形状开始消失。我生活在白天和黑夜交界的地方，这让我很喜欢。”

“你在提托的边界做什么呢？”

“我听说有一个地方，要找到它的最好办法就顺着瑚尔河往前走。这条小溪从这棵珈瑚树下流过，我想它肯定会流进瑚尔河里，不然这里为什么会长着一棵珈瑚树呢？”

赛林和吉菲都点点头。他们觉得这是一个合情合理的推断。“那么，”吉菲问，“那个地方也在某个交界处吗？”

“实际上它应该是在某个中心。但我很感兴趣。”

“什么的中心？”赛林问。

“瑚尔河流进一个大湖。有人管它叫海，瑚尔海，在它的中央有一个岛。岛上有一棵树，一棵大树，名叫珈瑚巨树。它是所有珈瑚树里最大的一棵。还有人说它是所有树里最大的，它是一个名叫珈瑚的王国的中心。”

赛林觉得他的呼吸憋在了嗓子眼里。他的眼睛睁得溜圆。他感觉到吉菲也怔住了。

“你是说这是真的？”赛林问。

“不仅仅是个传奇？”吉菲说，她的声音轻轻的，充满了惊异。

“嗯，我相信传奇。”灰灰只说了这么一句。他的声音里第一次没有丝毫炫耀的意思。

“那么，在名叫珈尔海的大海中央的一座岛上的这棵大树里，到底会有什么呢？”赛林问。

“有一群猫头鹰，非常强壮，非常勇敢。”灰灰说话时，身体眼看着膨胀得更大了。

“那么，”赛林继续问道，“这些猫头鹰是不是每天夜里飞到夜空中去做善事呢？”爸爸的话在他脑海里流过，“他们只说真理，他们的目的是纠正所有的错误，修补残缺，抑制狂傲，让虚弱者变得强壮，打击那些仗势欺人者的势力，对吗？他们怀着一颗崇高的心，在天空翱翔……这就是你说的那个地方吗？”

“一点不错，”灰灰回答，“这些猫头鹰为了所有王国的利益，共同奋斗，携手作战。”

“你真的相信有这样一个地方存在？”赛林问。

“你相信你会飞吗？”灰灰反问。

赛林和吉菲都眨眨眼睛。多么奇怪的回答。这根本不是一个回答。而是一个问题。他们从多么遥远的圣灵枭孤儿院一路飞来啊！

24 空空的树洞

“你们俩必须学会捕食。在那个地方，他们给你们吃些什么呀？”灰灰问。

赛林和吉菲撕扯着灰灰打回来的一只田鼠的嫩肉，嘴巴都血淋淋的。他们从来没吃过这么美味的东西。这只田鼠散发着一股橡果的清香，还混杂着从他们栖身的这棵珈瑚树上掉落的枯浆果的香味儿。最后，吉菲做了回答，“主要是蟋蟀，除非你是在孵蛋场工作。”

“没有别的？”

“只有蟋蟀——每一天，每一顿。”

“我的老天，光靠这个猫头鹰怎么能活——没有肉吗？”

赛林和吉菲都摇了摇头，一口也不愿错过眼前的美味。

灰灰意识到，不等这两只饿得半死的猫头鹰吃饱喝足，是没法跟他们谈话的。于是，等赛林和吉菲把田鼠都吃完后，他用一双黄眼睛严厉地望着他们：“我想知道——你们俩有兴趣找到那棵珈瑚巨树吗？”

赛林和吉菲不安地交换着目光。

“嗯，有……”赛林说。

“没有。”吉菲说。

“怎么回事？到底是有还是没有？”

“两者都是，”吉菲说，“你出去捕猎的时候，我和赛林谈过这件事。我们当然很想去那儿，但是首先……”吉菲迟疑了。

“但是首先你们想看看自己的家人是不是还在。”

“是的。”两只猫头鹰温顺地回答。他们知道，灰灰几乎是刚孵出来就成了孤儿，他一定很难理解。他对窝和家人没有任何记忆。他从一个地方流浪到另一个地方，从一个王国流浪到另一个王国。他甚至还和其他种类的动物共同生活过——安巴拉的啄木鸟一家接纳过他，提托的一只年迈的秃鹰收养过他，最为离奇的是，他还跟昆里沙漠的狐狸一家生活过一段时间，正是因为这个，灰灰从来都不捕杀狐狸。对于灰灰来说，吃狐狸是想都不能想的事。

“没问题。从你们告诉我的情况看，我们不用偏离道路很远。我们的路线是顺着河流往前，赛林，你说从你们家能看到河，吉菲，我对昆里非常熟悉。从你说的情况来看，我认为你们家肯定住在那道大冲沟旁边。”

“没错，没错！就是这样。”

“那道大冲沟是一个干涸的河床，是很久很久以前瑚尔河

形成的。所以不用偏离我们的路线很远。”

“哦，我们保证学会捕食。真的。”赛林说。

“捕食是不是跟飞一样，跟……”吉菲迟疑地问，“跟找到珈瑚巨树一样——必须要有信心？”

“哦，我的老天呀，这不过是找点吃的！”灰灰带着善意的轻蔑说道。

天刚黑，三只猫头鹰就离开了。天气变得很冷。没有上升热气流可以利用，赛林和吉菲这才意识到他们是多么幸运——更准确地说，林伯坚持让他们在这股反常的热气流到来时离开是多么明智。乘着上升的热气流，飞起来容易多了。而在这个晴朗的冬日夜晚，一点热气流也没有，但自由的滋味也是很美妙的，下面的世界铺满霜花，晶莹闪烁。哦，赛林多么希望爸爸妈妈能看到他飞啊。他扑扇着翅膀，加强前进的推力，在空中飞得更高。“远边！远边！”皮圈太太是这样称呼天空的。亲爱的皮太太。赛林也很想念她。哦，他现在能跟她好好地说说“远边”了。他可以跟那条亲爱的盲蛇好好地说说“远边”了。

第二天，下起大雪来了。有时候，大雪纷飞，迷乱了他们的双眼。赛林的透明眼皮几乎一刻不停地来回眨动，清除沾在眼睛上的雪粒。有时候，雪花又大又密，天空和下面的大地都融成一片茫茫的灰色。没有边界。地平线消失得无影无踪，而就在这一片模糊的世界里，灰灰以令人难以置信的技巧，潇洒地指引着航向。他们紧紧跟着他，赛林飞在他的上风处或向风处，吉菲则飞在另一边，在灰灰翅膀的避风处。

“看到了吗，你们两个，世界并不总是黑色和白色的——我是怎么跟你们说的？”灰灰一边娴熟地领着他们在密密的雪花中飞行，一边说道。

“你是怎么做到的？”赛林问。

“我在白天和黑夜了解到事物坚硬的轮廓，但后来我发现，这并不是惟一的观察方式。实际上，表面看去最清楚的事物，其实还隐藏着其他内容。于是我就忘却了一些东西。”

“你是怎么忘却的？”赛林问。

“我决定不仅仅相信自己所看见的。我寻找一种新的方式，清除脑海里旧的方式。我试着在砂囊里感受新的事物。”

“听起来很难的。”吉菲说。

“是啊。哦！好了，别再说话了。准备滑翔。吉菲，别忘了我跟你说过要把爪子伸出来。我们可不愿意你再来个大头朝下。”

“好的，灰灰，我会铭记在心。伸出爪子是至关重要的。”

“小个子，大口气。”灰灰低声嘟囔道。

“唉，也许我记错了。也许离河没有这么近。也许根本就不是一棵枞树。”

灰灰和吉菲面面相觑。这是他们察看的第三棵树了。根本就没有猫头鹰家庭生活在这些树里，但是除了这最后一棵，另外两个棵树都有树洞，而且肯定有猫头鹰曾经在里面安过家。“你知道我的记忆不太靠得住，”赛林底气不足地说，“我……我……我可能——”

吉菲打断了他，“赛林，我认为他们离开了。”

赛林朝小个子精灵猫头鹰发怒了：“你怎么能这么说，吉菲？你怎么能说出这样的话来？”赛林气得浑身发抖，“你根本不认识他们。我认识他们。我的爸爸妈妈不会离开——绝对不会。”

“他们没有离开你，赛林，”吉菲用很小的声音说，“他们以为你被抓走，永远不会回来了。”

“不！不！他们会有信心。他们会有信心，就像我们学会对飞有信心一样。他们会有信心的，我妈妈绝对不会同意离开这个地方。她永远都会希望我有朝一日会回来的。”

就在赛林说出“希望”两个字的时候，他内心深处的某种东西坍塌了。就好像他的砂囊皱缩了起来。爸爸妈妈竟然放弃了对他的希望，这可怕的想法使他忍不住哭了起来。他哭得整个身体都在发颤，被霜冻硬了的羽毛也在瑟瑟发抖。

这时灰灰说话了，“赛林，他们走了。也许他们遭遇了什么意外。你不应该太往心里去。打起精神来吧，老伙计。”

“不往心里去？灰灰，你怎么知道对亲人可以不往心里去？你从来没有过亲人。你忘记了吗，你总是跟我们说，你是在自己的孤儿学校里摸爬滚打过来的。你根本不知道妈妈的绒羽是什么滋味。你根本不知道听爸爸讲故事和唱歌是什么感觉。你知道什么是赞美诗吗，灰灰？你肯定不知道。而我们谷仓猫头鹰知道赞美诗、知道书、知道绒羽的感觉。”

灰灰的羽毛都蓬松起来，尖尖的带着冰晶。他的样子很吓人：“让我跟你说说我都知道什么吧，你这个可怜的小猫头鹰。整个世界都是我的亲人。我知道狐狸的毛有多么柔软，知道春天的月夜他们眼睛里奇怪的绿光。我知道怎样捕鱼，这是从一只秃鹰那里学来的。肉食稀少的时候，我知道怎么找到一棵枯树腐烂的部分，从里面啄出肥美多汁的虫子。我知道很多东西。”

“别吵架了！”吉菲嚷了起来，“赛林，你很伤心，很悲哀。我也会跟你一样。”

赛林惊愕地抬起头来：“你说‘也会’是什么意思？”

“你认为找到我家人的可能性会有多大？”她没有等赛林回答这个问题，“我告诉你吧——根本没戏。”

“为什么？”赛林问。就连灰灰也显得很惊讶。“我们是被抓走的，赛林。你认为被抓走的猫头鹰的父母还会呆在原来的地方吗？那些圣灵枭巡逻队知道上哪儿能找到猫头鹰。他们还会回来的。他们还会来寻找猫头鹰小雏鸟的。只要有点头脑的家庭都会搬走。他们不愿意失去所有的孩子啊。不过我认为我知道我的家人会去哪里。”

“会去哪里？”赛林问。

“珈瑚巨树。”吉菲轻声说。

“为什么？”赛林眨眨眼睛，“你甚至不能确定真有这样

一个地方。你管它叫什么来着？”

“远古传说。”

“对，远古传说。看在老天的份上，难道你的家人会去寻找一个远古的地方，一个没有根据、虚无缥缈的地方？”

“也许他们走投无路了。”吉菲说。

“那不是理由。”

这时吉菲用较为有力的声音回答：“因为他们在砂囊里感觉到了。”

“你怎么能在砂囊里感觉到一个传说呢？你说的都是熊屎，吉菲。”赛林骂粗话感到心里很痛快。但与此同时，他又感到背叛了自己的爸爸。爸爸不是说过，一个传说，开始是在砂囊里感觉到，随着时间的推移，便会在内心里变成真的吗？“熊屎！”他又骂了一声，“完全没道理，吉菲，你自己也知道。”赛林气得要命，他说出的话使他感觉更糟糕了。

“什么时候有道理可讲呢？圣灵枭讲道理吗？斯吭和斯嘣讲道理吗？”

“林伯讲道理。”赛林用几乎耳语般的声音说。

“是的。”吉菲回答，一边伸出翅膀尖去碰碰赛林。

灰灰一直保持沉默。最后，他说话了：“我准备去寻找珈瑚巨树。欢迎你们俩也加入进来。吉菲，到昆里沙漠去一趟离我们的路线并不远。虽然我认为你关于你父母的想法是对的，但为了让你自己安心，你应该去弄弄清楚。我们今天夜里就可以出发去那里。”

“是的，我想你是对的。”

“如果你没弄清楚，是永远也不会安心的。”灰灰又说道。

安心？赛林想。我现在安心了吗？就好像一根细细的冰尖扎进了他的砂囊，赛林只弄清了一件事情，就是世界上爱他最深的两只猫头鹰走了，去了很远很远的地方，而他一点儿也没感觉到安心。

他们将在这个白天剩下来的时间里睡觉，夜里开始他们的沙漠之行。灰灰说，夜晚特别适合在沙漠里飞行，特别是在月亏期的时候。赛林太累了，打不起精神来问为什么。打不起精神来听灰灰长篇大论的解释。灰灰似乎无所不知，而且特别喜欢夸夸其谈，他总是把话题引向某个死里逃生的故事，或者某桩展示他过人的机智的事情。可是赛林这个早晨实在太累了，不愿意听他唠叨。“晨安[1]。”他用细小的声音说。

“晨安，赛林。”吉菲说。

“晨安，赛林和吉菲。”灰灰说。

“晨安，灰灰。”赛林和吉菲异口同声地说。

赛林很快就在树洞里睡着了。以正常的睡姿把脑袋收在翅膀底下，睡在一个树洞里，这感觉真好啊，尽管这是一个空的树洞。

---

① 猫头鹰白天睡觉，所以他们不说“晚安”——“good night”，而说“晨安”——“good light”。

然后，一个声音，一个熟悉的声音，穿透了他的睡眠。他觉得自己僵住了，动弹不得。就好像他“栽”了，翅膀绊在一起。他是睡着了还是在做梦？那是林伯的声音。他们又回到了圣灵枭的藏书室。赛林正在疯狂地鼓动自己的翅膀。“快走！这是你们的机会。”那个声音喊道。接着是一声可怕的尖叫：“不要回头。不要回头。”但他们还是回头了。

“醒醒，醒醒！你们俩都做噩梦了。醒醒。”是灰灰在摇晃着他们。赛林和吉菲同时醒来，脑海里还留着同一个可怕的画面：一只身负重伤的猫头鹰躺在血泊里。

“是林伯，”吉菲说，“他死了。”

“我知道。我们俩做了同样的梦，可是……可是……可是，吉菲，这只是一个梦呀。林伯可能不会有事的。”

“不，”吉菲慢慢地说，“不，当时我尽量不让自己回头，但我还是看了一眼。他的翅膀折断了，脑袋拧成一个古怪的姿势。”吉菲的声音小了下去，融入即将到来的夜晚的第一缕灰暗。

“你怎么什么也没说？”

“因为，”吉菲迟疑着，这话听起来很荒唐，却是实情，“因为我在飞。我刚刚感觉到翅膀底下有了第一股浮力。我就要翱翔起来了，我忘记了一切。我心里只有翅膀……所以……”

赛林明白了。这并不荒唐。当时的情况就是这样。就在林伯咽气的时候，他们实现了自己长久以来的梦想。他们的使命已经决定。

飞行就是他们的使命。

“好了，打起精神来吧，你们两个，”灰灰粗声大气地说，“我希望天一黑就出发。也就是几分钟的事。在这样一个夜晚飞往昆里，应该是再理想也不过了。我告诉你们吧，什么也比不上在沙漠里飞行，真的什么也比不上。你们俩还可以进行一些捕食练习。昆里的蛇又漂亮又美味。”

“我不吃蛇。”赛林生硬地说。

“哦，熊屎！”灰灰压低声音嘟囔道。这只猫头鹰真是疯了。他用自己所有的耐心强忍着怒气。“你不吃蛇？劳驾请解释一下。”

“是这样，”吉菲说，“你不吃狐狸。”

灰灰眨眨眼睛，“这完全是两码事。很少有猫头鹰吃狐狸的。可是蛇——蛇是猫头鹰的基本食物之一。反正我弄不清这是怎么回事。难道你是彻底疯了吗？不吃蛇。我在你这个年纪什么都吃。只要能让我活着，让我能飞。你不吃蛇是什么意思？哪只猫头鹰不吃蛇呢？”

“他不吃蛇，”吉菲平静地说，“这是他们家的传统。他们家有个老保姆是一条蛇，她同时还负责照顾小孩子，他们就是出于对她——皮圈太太的尊敬，才不吃蛇的。”赛林很感动，吉菲竟然记得皮圈太太的名字。

“我希望能再见到皮圈太太，我还希望她没有听见我们的对话。”赛林说。

灰灰眨眨眼睛，又夸张地摇了摇头，嘟囔了几句，好像是说娇生惯养的猫头鹰和摸爬滚打的孤儿学校。“保姆？照顾小孩？”他朝枝头走去，脑袋似乎在脖子上转了一圈，他一边低声嘀咕，一边恼怒地用爪子击打着空气。“不可思议！保佑我可爱的砂囊吧。下次他们又会告诉我，他们家还有一只猫头鹰负责替他们飞行和捕食了。听我说吧，我宁可要熊屎，也不愿过这样的日子。”

25 皮太太！

在他们刚刚离开的森林和远处闪闪发亮的沙漠的交界处，有一片矮树林。灰灰说应该休息一会儿，赛林因为灰灰刚才嘟囔他和吉菲“娇生惯养”，心里仍然很不服气，决心要证明自己能够捕到吃的。所以，当灰灰和吉菲把脑袋藏在翅膀底下打盹儿的时候，赛林就飞了出去，寻找一只田鼠或老鼠，哪怕是一只沟鼠也行。

赛林听到的不是一只老鼠的心跳，因为老鼠在很低的地方，但他确实听到了心跳。在两次心跳之间，他是不是还听到了什么别的声音？一种轻轻的低语声，充满奇异的痛苦。很少有动物听见过蛇的哭泣。他们没有眼泪，但他们也会哭泣，赛林就是这样找到皮圈太太的。他落在一个布满青苔的老树桩上。而就在树桩底部，就在两个树根突出来的地方，他看见一

圈白色的东西盘在那里，在将圆未圆的月亮的清辉下闪闪发光。他把头探过树桩边缘。

“皮太太？”赛林眨眨眼睛。他不敢相信。

一个小小的脑袋从盘成一圈的身体上抬了起来。在本该是眼睛的地方有两道凹坑。“皮太太。”赛林又说了一遍。

“天啊！这怎么可能！”

“皮太太。是我，赛林。”

“当然没错！亲爱的孩子！即使是我这样一只年迈的盲蛇也会知道。”

这件事太不可思议了。皮太太认出了赛林。他所有不堪回首的噩梦般的想法都消失了。皮太太展开身体，开始往树桩上爬。

哦，真是一次愉快的团圆。他们轻轻抚摸对方的脸，如果皮太太有眼睛，他们肯定会流下喜悦的泪水，但是皮太太坚持在赛林的翅膀底下爬进爬出，钻来钻去。“耐心点儿，亲爱的。我想弄清你的羽毛的情况。哦，天哪，你的羽毛长得好漂亮啊。我猜你肯定飞得很棒。”

“可是，皮太太，爸爸妈妈还有伊兰和昆郎都到哪儿去了？”

“不要提那只猫头鹰的名字。”

“我哥哥？”

“哦，天哪。就是他把你从窝里推出去的。从他孵出来的那一刻，我就知道他不是个好东西。”

“可是你不可能看见他推我呀。你怎么知道的呢？”

"我感觉到的。我们盲蛇的感觉很敏锐。我知道你当时并不在树洞边缘。如果你真的是自己摔出去的，你必须是在树洞边缘。你只是隔着树洞边缘往外看。知道吗，昆郎推你的时候，我正好在他的爪子附近打盹儿。我感觉到他动了。我感觉到他把爪子举了起来，并且，猛地动了一下。还有后来，他愿意我去请人来帮忙吗？不。他想阻拦我，挡住我的去路，但我找到另一个洞爬了出来。可是，等我赶去救你时，你已经被抓走了。"

赛林闭上眼睛，回想当时的情景。一切都回忆起来了。那可怕的一刻。"你是对的，"赛林轻声说，"毫无疑问你是对的。我是被推下去的。"

"是啊，而且我预感到他还会对伊兰下手。当然啦，你爸爸妈妈回来了，他们发现你不见了，急得要命。他们严厉地吩咐昆郎，第二天他们出去捕食时一定要好好照看伊兰。但我知道会发生什么事。你爸爸妈妈又出去捕食时，我简直急疯了。我想必须找人来帮忙。我的朋友希尔达在森林的另一边，替住在一棵树上的几只乌草猫头鹰干活儿。他们是很可爱的一家。我想也许他们会给我一些帮助。于是我就趁昆郎睡着的时候偷偷溜了出来。我以为他睡得很死。可是，你知道吗，等我回来的时候，伊兰也不见了。"

"不见了？去哪儿了？昆郎怎么说？"

"唉，我一想起来就浑身发抖。他说，'老皮，你要敢说

出去一个字，我就叫你吃不了兜着走。’唉，我想象不出他准备怎么对付我。我就说，‘小伙子，你不应该对长辈这样说话，尽管我是个仆人。’然后……噢，这一段最让人伤心……他叫了起来，‘你知道吗，老皮，我突然对蛇肉很有兴趣呢。’说着他就朝我扑了过来。”

“真是活见鬼！”

“哦，不要诅咒，亲爱的孩子。这不符合你的身份。”

“皮太太，你又是怎么做的呢？”

“我钻进一个洞里。我等啊等，等你的爸爸妈妈回来，但我什么也听不见，只听见那个可怕的昆郎的声音。那个洞还有一个出口，我就想，如果我还想活命，就最好离开那里。想想吧——我甚至没法提前通知一下你的爸爸妈妈。我在你们家干了这么多年啊，最后竟然不辞而别。这样一走了之真是太不合适了。”

“皮太太，我认为你当时没有多少选择。”

“是啊，我想是的。”

“跟我来吧。我交了几个朋友，我们正要去瑚尔海呢。”

“瑚尔海！”皮圈太太的小声音里透着兴奋的嘶嘶声。

“你听说过瑚尔海和珈瑚巨树吗？”

“哦，听说过的，亲爱的。就在远边的这一面！”

赛林眨眨眼睛。他感到砂囊里有一阵奇妙的颤动。

“她不是晚餐！”赛林气势汹汹地瞪着灰灰。他刚刚落在通向那个树洞的树枝上。皮圈太太躲在他脑袋后面，蜷缩在两个肩膀之间的羽毛里。“我想把话说清楚。这是我亲爱的朋友皮圈太太。”

“皮圈太太！”吉菲突地跳到一根树枝上，“就是那个皮圈太太？我太荣幸了。请允许我做个自我介绍。我叫吉菲。”

“哦，我猜是一只小个子的精灵猫头鹰吧？”皮圈太太盘起身子，抬起脑袋打招呼。她的脑袋晃晃悠悠，竖在比吉菲头顶高一点的地方，所以她能感觉到吉菲娇小的身材，“我太高兴了。哦，我的天哪，你简直跟我一样小呢。”皮圈太太咯咯笑了起来。蛇的笑声里总是有点儿打嗝的声音。

“这是灰灰。”赛林说。

“幸会幸会。”皮圈太太说。

“我也是，”灰灰回答，“我不习惯跟仆人打交道，太太。我是自己长大的，差不多是这样吧，在摸爬滚打的孤儿学校里耍大的。不像他们二位这样有教养。”

“哦，教养其实是学不会的，小伙子，教养是天生的。”

灰灰显得很困惑，退后了一点。

“皮太太，别担心，”赛林说，“我已经跟大家解释过了，我们家原来是不吃蛇的，我希望大家遵守这个规矩。”灰灰和吉菲都严肃地点点头。

“嗯，很好，我相信我们会相处得很融洽的。”

“皮太太想跟我们一起去。她可以骑在我的肩膀中间。”

“当然啦，我不知道自己还能不能找到另一个位置。”皮太太忧心忡忡。

“那我呢？”赛林说。

“是啊，是啊，我猜他们会把一个毛头小伙子的话当真的，其实我在你家呆的年头比你的岁数还大呢。唉！”她深深地叹了口气。

“可别对我们婆婆妈妈的，太太。我们还要飞呢。”灰灰坚决但并不严厉地说。

“当然当然，对不住了。”皮太太打了个哆嗦，似乎要把所有令人悲哀的念头都抖掉似的。那感觉就好像她在蜕皮似的。

灰灰大概觉得他对皮太太过于粗暴了，就补充道，“我也可以载你一段的，皮太太。我比你块头大，赛林。她增添不了多少分量。”

“哦，你俩真是太好了。”皮太太说。

“恐怕我提供不了这样的服务，”吉菲说，“我认为我的体重跟皮圈太太相差无几。不过我很爱听她饶有趣味的谈话。”

“哦，多可爱啊。我听说精灵猫头鹰在谈吐方面是一流的。”灰灰眨眨眼睛，嘀咕了几句，好像是“小个子说大话”之类，“但是坦白地说，亲爱的，当保姆的蛇是不应该跟你们这种身份的猫头鹰闲聊天的。”

“皮太太，”赛林说着，往前跨了一步，“让这一切都停止吧。”

“这一切什么，亲爱的孩子？”

“这一切关于保姆和身份的鬼话。现在我们都是一样的了。没有身份，没有窝，也没有树洞。我们都是孤儿。我们都目睹了恐怖的事情。现在世界不同了，其中一点不同就是我们之间已经没有差别。”

“哦，不，亲爱的孩子。佣人是永远存在的。别说那样的话。我

们家祖祖辈辈都是当佣人的。这没什么可丢脸的。这简直可以说是一门很高贵的行当呢。”赛林意识到跟她理论是没有用的。

于是，这一伙猫头鹰就起飞了，盲蛇盘在赛林的肩膀中间。月亮仍然高高地挂在天空，但周围似乎笼罩着一圈迷雾。

“哦，真是太美妙了，赛林。我是在‘远边’啊。谁会相信呢？哦，我的天哪，你飞得太棒了。”皮圈太太的小声音里透着极度的狂喜。

“坐稳，皮太太，我要侧身拐弯了。”其实赛林并不一定要拐这个弯，他只是想让皮太太看看他可以怎样优雅地用翅膀在夜空中划出弧线，把身体转向一个新的方向。不一会儿，他又拐了个弯，让自己回到队伍中。

“哦，远边！远边！”皮太太一遍又一遍地惊呼，“我是在‘远边’啊！”她的喜悦带着嘶嘶的乐音划过夜空，使赛林感到星星更加璀璨耀眼。

灰灰是对的。没有什么比在沙漠中飞行更美妙的了。天空并不是完全漆黑，而是一种深邃的靛蓝色。没有月亮的天空群星密布。空气里虽然透着寒意，但不时会有一股股热浪从沙漠升腾到夜空中，使凛冽的空气变得温和。三只猫头鹰真愿意这样永远飞下去，乘着温柔的沙漠气流，调动着自己的尾羽和初级飞羽，在深蓝色的天空划出大大的弧线，用翅膀尖描绘想象中的图形，或者临摹闪闪发亮的星座图标。

灰灰确实知道很多事情。他告诉他们星座的名字——大歌佬星座，一个翅膀指着一颗永远不动的星星。还有一个星座叫小洹熊，他说，在夏天的夜晚，大洹熊会升入夜空，看上去就像在跳舞一样，所以有人管它叫跳舞的洹熊。还有一个星座叫大乌鸦，因为它会在初秋的天空张开翅膀。而这个夜晚，他们是在大歌佬星座那明亮的、星光璀璨的翅膀下飞行。

赛林第一次发现他的身体真的有了变化。他是一只完全成熟的猫头鹰了。是他飞行时的寂然无声使他意识到了这种变化。他的最后一批装饰羽也终于长齐了。这些柔软细密的羽毛覆盖在他的拨风羽的表面，使他飞起来的时候没有声音。

“我认为我们快要到了。”吉菲说。

三只猫头鹰开始向下滑翔。此刻他们是在沙漠上空飞掠，只比那些长刺的仙人掌稍高一点。“别担心，”吉菲说，“这些刺不扎人。我们的身体太轻了。”

吉菲降落了，灰灰也降落了。而就在赛林准备降落时，他听到了一种声音——一种快速的拍打声。是心跳声。但不是蛇的心跳。赛林的砂囊知道那是什么，是一只老鼠，他开始流口水了。“坐稳，皮太太！去抓老鼠！”

“哦，天哪！”皮太太喊道，把身子紧紧盘在赛林肩膀中间茂密的羽毛深处。

赛林迅速地扇动翅膀，做了一系列有力的上冲，高度增加了。他把脑袋偏到一边，又偏到另一边。那心跳声似乎就在他面前响着。

他知道这家伙在哪里，于是，他不假思索地开始快速盘旋而下。

一秒钟内，他的爪子就抓住了老鼠，把嘴扎了进去，他看见爸爸在大枞树底下弄死一只老鼠时就是这么做的。

“干得漂亮，”灰灰落到他的身边，“在听出老鼠心跳方面，谁也比不上你们这些谷仓猫头鹰。”这是灰灰第一次夸奖他。

“即使是一只没从摸爬滚打孤儿学校出来的猫头鹰？”

“你这就没风度了，赛林！”皮太太在他耳边压低声音说。赛林立刻后悔自己说了这样的话。“注意礼貌，孩子！”

“对不起，灰灰，我刚才太没风度了。谢谢你的夸奖。”

“风度！”一个声音尖叫道。“你管那叫风度？如果你能把令人恶心的爪子从我家里拿走，我就谢谢你了。”

赛林退后一步，把抓着老鼠的爪子从沙地上抬起来。从他刚才压住的那株仙人掌根处的一个洞里，露出了一张小脸。这张脸跟吉菲的有点相似，但要大一些，羽毛是褐色的，大大的黄眼睛上垂着一绺短短的白色羽毛。

“你这是……”赛林轻声问。

“错了，都错了……”灰灰吃惊地说。

“穴居猫头鹰！”吉菲轻声说，接着又说，“很稀有的。”

“哦，天哪，你的这些大词汇！”灰灰粗声粗气地说。

就在这时，随着一声可怕的尖叫，洞里那个酷似猫头鹰的东西缩了回去。接着他们听见一阵轻轻呼气的声音。灰灰凑到洞口，往里看去，“我想它是昏倒了。”

“它是什么？”赛林问，把仍然抓在爪子里的那只肥美多汁的老鼠忘得精光。

“一只穴居猫头鹰，”吉菲说，“非常罕见。但我记得我爸爸妈妈谈起过。他们在穴居动物的旧洞里做窝。”

“哦，天哪！”灰灰和赛林异口同声地说，并发出作呕的声音。

“不会是真的吧！”灰灰说，声音里透着怀疑，“咳，每天都能学到新东西，就连我……好吧，就算每隔一天吧。刚遇到一只不吃蛇的猫头鹰——哦，请原谅，皮圈太太。”

“没必要道歉嘛，”皮太太赶紧说道，“赛林一家在那方面很特别。他们多么高雅啊！”她怀念地说。

“反正，就像我说的，”灰灰继续说道，“现在又碰到一个住在洞里——而不是树上的。这世界要变成什么样子啊？”

“我认为不吃蛇跟住在穴居动物的洞里根本不是一码事。而且，你还说过你跟狐狸住在一起呢。”赛林恼火地说。

“在狐狸上头，没住在他们窝里。住在一棵老仙人掌的洞里。狐狸的窝在仙人掌下面。”

洞里传来一阵沙沙声。三只猫头鹰都凑到跟前。一个嘴巴伸了出来，“他还在吗？”

“谁？”吉菲问。“我们都还在呢。”

“那个长着一张白脸的。幽灵猫头鹰。”

灰灰和吉菲都把脑袋转向赛林。

“我？”

赛林这才意识的，他不仅所有的拨风羽都长齐了，而且他脸上的羽毛也丰满了。就像所有的谷仓猫头鹰一样，他的脸变成了纯白色，周围是一圈黄褐色的羽毛。他的肚子和翅膀底部也是同样的纯白色，而翅膀顶部、后背和脑袋则是黄褐色和褐色相间，点缀着漂亮的深色羽毛。他不像大多数别的猫头鹰，他的眼睛没有变黄，而是一种最深邃的黑色，这使他的脸看上去更白了。

“我不是幽灵，”赛林说，“我是一只谷仓猫头鹰。我们的脸都是白的。”赛林产生了一种骄傲和极度悲哀相杂的奇怪感觉。他真希望爸爸妈妈看到他现在的样子。他肯定很像爸爸。那么伊兰——她会是什么样子呢？如果她像妈妈，她的脸就是白色的，但边缘更精致、颜色更深，特别是脸的底部。她也许会有几个斑点，它们的颜色就更深了。她差不多快要会飞了。

“你能肯定？”那只猫头鹰从洞里爬出来一点。

“肯定什么？”

“肯定你不是一个幽灵？”

“我为什么要假装自己是幽灵呢？你肯定自己是住在那个洞里吗？”赛林回答。

“那还用说。我们总是住在洞里的。我的爸爸妈妈、爷爷奶奶、太爷爷太奶奶都是。你脑袋上那条蛇是怎么回事？你们说的不吃蛇又是怎么回事？”

“这是皮圈太太，她在我们家呆了很长时间。所以，”赛

林戏剧性地顿了顿，“我们不吃蛇。我们不仅对蛇没有胃口，而且认为吃蛇是不对的，我这几位朋友也同意——不碰蛇。我想把这一点强调清楚，你要是违反，我马上就让你见鬼去！”赛林说着说着就提高了嗓门。

“很清楚了。”穴居猫头鹰用颤抖的声音回答，然后朝皮圈太太低了低头，“很高兴吃到你，啊，不，见到你。”

赛林发出长长的刺耳的声音。

“我相信这只是口误，赛林。”皮太太很体谅地说。

“那么你的爸爸妈妈怎么啦？”灰灰突然问道。

穴居猫头鹰迟疑了一下，然后叹了口气：“我不愿意谈这件事。”

“你是被抓了吗？”

又是长时间的沉默。终于，这个故事在抽噎和啜泣中断断续续地展开了。赛林听着。有一次他听见灰灰嘀咕道，“这家伙有点神经质。”赛林叫他闭嘴。

这只穴居猫头鹰叫掘哥，他没有被抓，但他的两个兄弟被抓了。从他对那两个巡逻队猫头鹰的描述来看，肯定是杰特和加特。故事最可怕的部分，是杰特和加特跟掘哥最小的弟弟菲林搏斗。“菲林是个胖嘟嘟、圆乎乎的小家伙，结果他们……他们……他们把他给吃了！”

掘哥晕倒在沙地上。“好了，好了，”灰灰推了推可怜的猫头鹰，不耐烦地说，“你不能动不动就昏倒呀。打起精神来。”

吉菲和赛林不敢相信地面面相觑。赛林心想，如果再听到灰灰说一次“打起精神来”，他就揍他。没想到吉菲竖起了浑身的羽毛，一下子看上去有平常的两倍大。“他弟弟被另一只猫头鹰吃掉了，你还说‘打起精神来’？灰灰，看在老天的份上，拿出点同情心来吧。”

“在沙漠里，同情心一点用也没有。如果他总是这样昏过去，如果月亮是圆的，他很快就会被月光催眠的。”

一听到月光催眠这几个字，吉菲和赛林就打了个寒战。掘哥动了动，挣扎着站了起来。

“你是怎么逃脱的？”赛林问。

“我跑走了。”

“跑？”赛林和灰灰立刻同时问道。这可真是一只非常奇怪的猫头鹰。

“唉，当时我还没有完全学会飞呢，但我们穴居猫头鹰很擅长跑步。”赛林看了看掘哥的腿。掘哥的腿跟大多数猫头鹰不同，特别长，上面几乎没有什么羽毛。“我拼命地跑啊跑啊。要知道，这一切发生的时候，我们的爸爸妈妈出去捕食了，那两只猫头鹰跟菲林打成了一团。我的哥哥康尼已经被抓走了，那只猫头鹰一边抓着康尼飞走，一边不停地回头朝那两只猫头鹰嚷嚷，叫他们别吃菲林。他的嗓音很奇怪，比另外两只猫头鹰温柔一些，带点儿‘叮叮’声。我从来没听过这样的声音。”

“是林伯。”赛林和吉菲异口同声地说。

“后来呢？”灰灰问，“你爸爸妈妈回来找到了你？”

“唉，问题是我迷路了。我实在是跑得太远了，后来我一

直想找到回家的路。有一次我发现一个地洞，看上去就像我以前跟爸爸妈妈住的那个，可是里面却没有他们的影子。所以肯定不是那个洞。”掘哥用颤抖的声音说，接着又问，“对吗？”

赛林、吉菲和灰灰都没有说话。

“我的意思是，”掘哥继续说道，“他们肯定不会离开的。他们会想到出了意外，他们会出去找我们的。他们会一个出去找，另一个留在家里。你们知道，万一我们回来或者……”他的声音低了下去，被沙漠夜晚的寒风吞没了。

赛林从砂囊深处体会到这只穴居猫头鹰的痛苦。“掘哥，”他说，“他们可能回来后看见……看见……”他深深吸了口气，“地上的鲜血和你弟弟的羽毛。他们可能以为你们都被杀害了。他们并没有离开你，掘哥。他们大概以为你们都死了。”

“噢。”掘哥轻声说，“太恐怖了！我的爸爸妈妈以为我死了！我们都死了！多可怕啊。我一定要找到他们。我一定要让他们看到我还活着。我是他们的儿子。是啊，我现在还会飞了呢。”但他并没有飞，而是坚决地迈开大步，在沙漠里行走。

“喂，你为什么不飞呢？”灰灰冲着他的背影喊道。

掘哥扭过头来：“哦，那边有个地洞。我想去看一看。”

“哦，我的天哪，”吉菲叹道，“他要走遍这整片沙漠，查看每一个地洞。”

26 沙漠之战

他们沿着昆里沙漠的外围又飞了一夜。到处都没有找到吉菲家人的影子，甚至在吉菲被抓走前全家人生活的那株老仙人掌里也一无所获。

飞行的过程中，赛林开始深刻地思索圣灵枭孤儿院和孤儿院里那些猫头鹰的滔天恶行。他们的罪恶几乎触及每一个王国——安巴拉的蛋被抢，提托的雏鸟被抓，现在又是最令人发指的暴行：在昆里同类相食。红藤曾经告诉他们，安巴拉几只猫头鹰已经想办法弄清了罪恶的根源是圣灵枭，而赛林的爸爸妈妈还以为这是偶然事件，也许是一小帮叛逆的猫头鹰在作恶——没想到是圣灵枭这样大规模的恶势力。他们做梦也想不到会有这样一个地方，而且赛林觉得所有王国里没有几只猫头鹰会想到。是不是只有赛林、吉菲和灰灰意识到了圣灵枭的势

力范围？是不是只有他们掌握了这个可怕秘密的所有细节？而这个充满暴力和毁灭的秘密正在触及每一个猫头鹰王国。如果真是这样，他们一定要团结在一起。团结起来有力量，尽管人数只有三个。他们三个知道圣灵枭的可怕真相，单凭这一点，他们就有可能拯救其他猫头鹰。

赛林想起了他还是圣灵枭的囚徒时，第一次意识到仅仅逃出去是不够的。想到亲爱的妹妹伊兰也成为圣灵枭暴行的牺牲品，他就感到不寒而栗。他记得自己曾经想到外面有一个伊兰的世界。现在，他们逃出来了，现在，他知道他们的任务比他和吉菲、灰灰所能想象的还要重大。赛林知道他必须好好考虑怎么跟灰灰和吉菲解释这一切。

每隔一会儿，三只猫头鹰就会低下眼睛，看看掘哥在沙漠里艰难地行走。偶尔，掘哥会飞起来，但总是飞得很低，搜寻着每一个可能藏着他爸爸妈妈的地洞。不过大多数情况下他还是跑着，两条几乎没有羽毛的长腿掠过沙漠，短短的秃尾巴翘起来，兜住后面的风，以加快他跑步的速度。或者风从前面刮来，就像现在这样，他就顺着风势，把尾巴紧紧收在身体两侧，埋头往前冲。

“这可怜虫的腿是我见过的最强壮的。”灰灰嘟囔道，这时第一道细细的月牙儿升上了天空。

“腿最强壮，脑筋最固执。”吉菲补充道。

而在赛林的内心深处，突然对这只古怪的猫头鹰肃然起敬。掘哥的决心着实令人赞叹。赛林刚想到这里，就听到一个声音。他把脑袋歪到一边，又歪到另一边。

赛林像所有的谷仓猫头鹰一样，脑袋两侧的耳朵不是一样高——左耳朵比右耳朵要高一些。实际上，两个耳朵的差异能帮助他更好地捕捉声音。此刻，他本能地调动脸盘上的某些肌肉，让脸舒展开来，帮着把声音引向自己的耳朵。声音是从迎风的一侧，他的右耳传来的，因为右耳比左耳先捕捉到它。现在声音几乎同时传入两个耳朵，也许只有百万分之一秒的差异。

“三角测量，是吗？”灰灰问。

“什么？”赛林问。

“形容你们谷仓猫头鹰本领的花哨词儿。你们能分辨出一个声音具体是从哪儿来的。下面有好吃的东西吗？我想吃上一口。”

“哎，下面确实有个东西，但不是在地面。是在上风的地方。跟你翅膀尖上的那颗亮星星在一条线上。”

突然，赛林和吉菲看见了。“我的天哪，是杰特和加特！”赛林惊叫道。

“看！”吉菲说，“他们正在包围掘哥呢。真希望附近有个地洞。”

“47-2 号跟他们在一起，”赛林说，“看那只愚蠢的猫头鹰。他现在变大了。”

“是一只啸叫猫头鹰。”灰灰轻声说。确实如此，现在的47-2号很像另一只可怕的啸叫猫头鹰——斯嘣。

“他们肯定让她长出了拨风羽，然后教她学飞。”吉菲压低声音说。

“快转到下风处，”灰灰命令道，“可不能让他们听见我们的声音。”

“对，可是别做声！”赛林说，“我捕捉到了什么声音，让我仔细听听。”

赛林捕捉到的下面三只猫头鹰的只言片语令人胆寒，尽管他们的对话被风扯得支离破碎。

“47-2号，等你尝过一只穴居猫头鹰——啊……什么也比不上……快跑……这里没有地洞……没有地方……躲藏……”

“一定要采取行动。”赛林说。

“他们是三个，我们是两个半。”灰灰把脑袋转向吉菲，叹了口气。

“我可以转移他们的注意力。”吉菲立刻说道。她不等另外两只猫头鹰回答，就一头扎下去，迅速地盘旋而下。

“她在做什么？”赛林问。吉菲已经落到地面，正在惟妙惟肖地模仿一只穴居猫头鹰，她用力甩动双脚，在沙漠上拼命奔跑。

“看，起作用了！”灰灰喊道。果然，47-2号朝吉菲转过身来。

“冲啊！”灰灰吼道。

“坐稳了，皮太太。”赛林喘着气说。

杰特和加特刚落在沙地上，灰灰和赛林就发起了进攻。赛林双脚前伸，张开爪子，狠命把腿踢了出去。他闭上眼睛，但感觉到爪子扎进了杰特双耳之间的羽毛里，然后一个爪子撞到了一个不是羽毛的东西。是肉，接着是骨头。一声惨叫撕裂了夜空。而赛林已经在沙地上打滚了。四下里羽毛乱舞，沙土飞腾。什么东西在旁边爬过，他希望是皮太太在给自己找一个安全的地洞。

接着是一声低沉的鸣叫，声音在空旷的沙漠里回荡。是灰灰发出了战斗的呐喊。而杰特和加特也擂响了他们气势汹汹的战鼓，震得赛林的砂囊都在打颤。灰灰用大灰猫头鹰特有的声音唱道：

你们这些贼眉鼠眼的丑八怪。
你们还管自己叫鸟？
还管自己叫猫头鹰？
你们根本不是体面的鸟禽！
他们叫你杰特？
他们叫你加特？
我要把你们扔进阴沟！
我要砸烂你们的肚皮！
然后你们就会连滚带爬！
你们以为自己很有胆量！
四脚蛇也比你们还强。
一——二——三——四，
你们完蛋了，别再找倒霉。
五——六——七——八，

你们比鱼饵强不了多少……

九——十——十一——十二，

我要把你们直接送进地狱。

空气里充斥着灰灰的嘲笑。赛林用眼角的余光看见加特想要去进攻灰灰。而灰灰不仅口齿伶俐，反应也很敏捷。他闪身一躲，与此同时嘴里冷嘲热讽地唱个不停。他先挑逗杰特，然后是加特。他要把他们都引到跟前，然后快速出击。他的爪子成了一片模糊。赛林从来没见过像这只大灰猫头鹰一样迅捷而轻盈的东西。

赛林想集中精力进攻47-2号，不让她追上吉菲。突然，赛林觉得后面有什么东西打了他一下。他在空中翻了个跟头，仰面摔倒。杰特比以前大多了，像个庞然大物一样站在他身旁。杰特一只耳朵上的毛已经被扯光，气得失去了理智："我要杀死你！我要杀死你！我要把你的眼珠子抠出来！"

就在杰特尖利的鸟嘴朝他逼来时，赛林感到空气振动，一道影子从他们上方掠过。接着，那个把他钉在地上的重量奇迹般地消失了。赛林仍然仰面躺着，惊愕地眨眨眼睛，看见杰特升起来了——不是自由地飞，而是被一只他从没见过的巨大鸟类抓在了爪子里。大鸟的白脑袋，在正好位于头顶的月牙儿下闪闪发光。在左边的地面上，另一只白脑袋的大鸟迈着大步，在毫无生气的加特和47-2号身旁走来走去。

接着吉菲和掘哥走了过来。"我从没见过这样的情景，"掘哥说，

“他们是谁？这些白脑袋的大鸟是谁？”

“是鹰，”灰灰用特别崇敬的口吻轻声说，“是秃鹰。”

“红藤的鹰！”赛林和吉菲同时说道。

“红藤？”皮圈太太从洞里爬出来，问道，“谁是红藤？”

27 红藤的鹰

“我叫斑斑，”那只身材较小的鹰说，“这是我的老伴儿赞赞，她哑了，不能说话。”赞赞朝四只猫头鹰点点头，嘴巴几乎垂到了沙地上。“她的舌头，”斑斑继续说道，“被坏蛋扯掉了。”

“坏蛋？”赛林问，“是杰特和加特？”

“还有斯嘣和斯吭，还有圣灵枭的那些恶棍。我不敢称他们为鸟类！”

“那天要救出红藤那个蛋的就是赞赞吧？”

斑斑激动地点点头。

“是的，没错，她把蛋救出来了，但就是在那次任务中她失去了舌头。”斑斑解释说。

赛林转向赞赞，“在那个可怕的日子，我们看见你了。我们看见了事情的经过。你们俩都那么勇敢，帮助红藤。”

“勇敢的是红藤。从来没有一只猫头鹰像红藤那样。你们知道吗，如今在安巴拉，几乎每两个新孵出来的小猫头鹰里就有一个叫红藤，就连雄宝宝也不例外。”

“哦，天哪！”吉菲叹着气说，“可她是多么讨厌这个名字啊。至少，她跟我们是这么说的。”

“反正，如今在安巴拉，一个英雄的名字已经传开了，这个名字就是红藤。”

“你们到昆里来做什么？”灰灰问。

“我们在昆里上空巡逻，”斑斑说着，朝掘哥点了点头，“我们非常喜欢这些沙漠里的动物。有一次我们出去捕食，家里的一个小宝贝还没有完全准备好就想飞。你们知道小家伙都是那样的。我们整天告诫他们不许这么做——不许着急学飞，不许在爸爸妈妈外出时离开窝，可是，唉，总有几个小家伙要铤而走险。她飞了很远，却不知道怎样落地，结果摔断了翅膀上的一根小骨头。有一只在沙地里打洞的猫头鹰，发现了我们的小宝贝，把她抱进了他们的洞里，喂她吃喝，安慰她，无微不至地照顾她，直到她骨头长好，重新会飞。他们弄清她的家在哪里后，就把她送回到我们身边。我和赞赞一向认为，世界上总是善多于恶。可是知道吗，我们仍然要为此奋斗。现在小家伙们都走了，我和赞赞就致力于此。我们为此奋斗——多做善事，就是这样。”

赛林、吉菲、掘哥和灰灰惊异地看着两只大鸟。

“真不知道怎么感谢你们。”掘哥说。

赞赞用脑袋做了一个动作，斑斑在一边仔细观察，“我亲爱的老伴儿说——你们看，虽然她不会说话，我也能明白她的意思——赞赞说，你必须停止这样白天黑夜地在沙漠里乱走，这太愚蠢，太危险了。亲爱的，你这么苦苦地寻找，在找什么呢？”

“我的亲人。”掘哥说。于是，他把杰特和加特怎样对待他弟弟菲林，他怎样逃跑，怎样迷路的经过，一五一十地告诉了斑斑和赞赞。

斑斑和赞赞意味深长地交换了一下目光。就在这时，掘哥感觉到两只秃鹰知道他爸爸妈妈的命运。赞赞走到掘哥面前，慈爱地用自己的嘴巴给他梳理羽毛。斑斑深深吸了口气，“唉，我的孩子，恐怕我们知道你爸爸妈妈的遭遇呢。那时候，你说的那个弟弟的羽毛还在洞口，我们看见你爸爸妈妈哭得伤心极了。于是我们就问出了什么事，他们说这是他们的儿子菲林，另外还有两个小家伙下落不明。赞赞认为她从来没听过这么悲惨的事。虽然她一点儿声音也发不出来，但她每天都过来给你妈妈梳理羽毛——用她自己的方式表明，‘我也是一位母亲，虽然我没有以这样的方式失去过我的孩子，但我能感觉到这份痛苦有多么惨烈。’

“后来有一天，我们来得有点太晚了。那两只差点杀死你的猫头鹰又来扫荡地洞，这次他们还带了增援，加起来准有五十个，都戴着我们见过的最为凶猛的战爪。唉，如果是两三个，就算戴着战爪，我们还能对付得了，可是五十个——不行，不行，寡不敌众啊。”

“那——那——那……”掘哥结结巴巴，“那他们把我爸爸妈妈给吃了？”

“没有，只是把他们给杀死了。说他们肉太老，骨头太多。”

一阵长时间的沉默。没有人知道该说什么。最后，吉菲转向掘哥，说道，“跟我们走吧，掘哥。”

“可是你们要去哪儿呢？”掘哥问。

“去珈瑚巨树。”

“什么？”掘哥问，没等灰灰回答，斑斑就插进来说，“我听说过那个地方，但那只是个故事，只是个传说呀？”

“对有些人可能是这样。”灰灰说着，对秃鹰眨眨眼睛。

但对猫头鹰不是，赛林想。对猫头鹰来说，这是一个真实的地方。

不圆的月亮已经开始从夜空中滑落。它像一根弯弯的爪子，低低地挂在沙漠的天空上，给地面洒下银河般的清辉，那银河似乎对着四只猫头鹰流淌，在他们的爪边溅起水花。这清凉的月光缓缓流动，看上去跟那照烤和催眠的月光完全不同。这月光使人头脑清晰，精神振奋。就在这时，一件奇怪的事情开始发生。赛林肩膀上驮着皮太太，跟灰灰和吉菲互相聚拢，彼此的羽毛都触碰到了，就连掘哥也挤缩在灰灰的身旁。刚才，赛林还问自己怎么向同伴们解释他的想法，现在他知道任何解释都是多余的了，在短短的时间内，在银色的月光下，他们已经团结为一个整体。他们是四只失去双亲的猫头鹰。现在他们已经跟过去不一样了。他们不再仅仅是孤儿。他们团结起

来变得格外强大。当他们在圣灵枭时，珈瑚传奇中的珈瑚巨树不是他们最重要的灵感来源吗？远古传说和珈瑚巨树那些骑士的英勇壮举不是救了他们，使他们逃脱了月光照烤吗？传说能否变成现实？他们能否变成传说的一部分呢？

赛林做了关于林伯的噩梦，这是他做过的最可怕的噩梦，但是还有一个梦萦绕在赛林的脑海里，使他的砂囊一阵阵发抖。这个梦使他内心充满绝望。梦里，赛林在天空飞翔，看见爸爸妈妈栖息在一棵树上。他们又找到了新的树洞，用最柔软的绒羽布置了一个崭新的窝。窝里有几只新孵出来的小猫头鹰。赛林落在一根树枝上。“妈妈？爸爸？是我，赛林。”爸爸妈妈眨眨眼睛，不是因为惊讶，而是从心底里感到怀疑。“你不是我们的儿子。”爸爸说。“哦，不是，”妈妈说，“我们的儿子即使长大了、羽毛丰满了，也不会像你这样。”“不是。”爸爸说，然后两只猫头鹰转过身，躲进了树洞。赛林在他砂囊的最深处意识到，这才是他们必须去珈瑚巨树的原因。也许，当你熟悉的世界开始一点点地崩溃，当你的记忆，还有别人对你的记忆，都随着时间和距离而变得模糊，当你在自己深爱的猫头鹰的心目中开始消失，变成虚无时，传说就能够成为现实了。

而在这个噩梦的核心里，还有另一个更深刻的真相。赛林跟过去不一样了。他慢慢地转过头，看着清冷月光下的另外三只猫头鹰。他们的眼睛里闪烁着一种新的觉悟，一种新的认识。是的，赛林想，吉菲、灰灰和掘哥也跟过去不一样了。他们没有说话，也不需要任何言语。但是在这沙漠的月光之河里，已经立下一个无声的誓言，四只猫头鹰都点了点头。就在这一刻，他们知道他们永远是一个整体，彼此忠心耿耿，这纽带比血液还要牢固。他们必须作为一个整体奔赴瑚尔海，找到那棵巨树，在如今这个日益变得疯狂和无耻的世界里，那棵巨树作为智慧和高贵的中心巍然耸立。他们必须告诉大家恶势力的来袭。他们必须成为这古老的骑士王国的一部分，那些骑士乘着无声的翅膀，在黑暗中翱翔，履行着伟大的壮举。

同时，赛林还知道另一个真相：传说不仅是给绝望者的。传说也是给勇敢者的。

“我们走吧。”赛林说。

“去珈瑚！”灰灰喊道。

“去珈瑚！”另外几只猫头鹰附和道。

“一切为了猫头鹰，为了猫头鹰的一切！”赛林大声说。

在万籁俱寂的暗夜里，四只猫头鹰起飞了，最后一缕月光把他们的影子印在下面坚硬的沙漠上。飞在最前面的，是一只大灰猫头鹰，迎风处是一只漂亮的谷仓猫头鹰，下风处是一只娇小的精灵猫头鹰，她那么爱说话，飞起来却寂然无声，羽毛没有一丝散乱。飞在最后面的，是掘哥，用爪子对付着灰灰身后留下的气流。他们飞往瑚尔河——而瑚尔河会流进浩瀚的瑚尔海，他们要飞到一座长着珈瑚巨树的岛上，那里在很久很久

以前，在歌佬的时代，曾经有一批骑士般的猫头鹰，他们每天夜里飞入夜空，行善锄恶。

赛林心里知道，现在是传说成为现实的时候了。

图书在版编目（CIP）数据

猫头鹰王国·暗算 /（美）拉丝基著；马爱农译. —武汉：湖北少年儿童出版社，2009.9
书名原文：Guardians of Ga' hoole The Capture
ISBN 978-7-5353-4124-2

Ⅰ. 猫… Ⅱ. ①拉…②马… Ⅲ. 儿童文学—长篇小说—美国—现代 Ⅳ. I712.84

中国版本图书管 CIP 数据核字（2008）第 129321 号

猫头鹰王国·暗算 Guardians of Ga' hoole The Capture	Kathryn Lasky **凯瑟琳·拉丝基 著** **马爱农 译**	**策　　划：李　兵　叶　珺** **责任编辑：叶　珺** **封面设计：多元卡通工作室**

图字：17-2008-042

湖北长江出版集团
湖北少年儿童出版社出版、发行
网址：http: //www.hbcp.com.cn
430077 湖北省武汉市雄楚大街 268 号
全国新华书店经销
武汉市新华印刷有限责任公司印刷

开本 1/16 印张 12.25 字数 90，000
2009 年 9 月第 1 版 2010 年 3 月第 2 次印刷

ISBN 978-7-5353-4124-2
定价：21.80 元